TENEBRA ROMA

Né en 1973, Donato Carrisi est l'auteur d'une thèse sur Luigi Chiatti, le « Monstre de Foligno », un tueur en série italien. Juriste de formation, spécialisé en criminologie et sciences du comportement, il délaisse la pratique du droit pour se tourner vers l'écriture de scénarios. *Le Chuchoteur*, son premier roman, est un best-seller international et a remporté de nombreux prix littéraires, dont le Prix SNCF du polar européen et le Prix des lecteurs du Livre de Poche en 2011. Donato Carrisi est l'auteur de thrillers italien le plus lu au monde.

DONATO CARRISI

Tenebra Roma

TRADUIT DE L'ITALIEN PAR ANAÏS BOUTEILLE-BOKOBZA

CALMANN-LÉVY

Titre original :

IL MAESTRO DELLE OMBRE
Publié par Longanesi & C.,
Gruppo Editoriale Mauri Spagnol, Milan, 2016

À Antonio, mon fils,
Ma substance et ma quantité

Année 1521. Neuf jours avant de mourir, le pape Léon X émit une bulle contenant une obligation solennelle.

Rome ne devait « jamais jamais jamais » se retrouver dans le noir.

Le souverain pontife établit que les rues, églises et bâtiments devaient toujours être éclairés durant la nuit. L'huile ne devait pas manquer dans les lampes et les réserves de bougies dans les entrepôts devaient toujours être fournies.

Pendant plus de trois cents ans, l'ordre pontifical fut respecté. Toutefois, à la fin du XIXe siècle, avec l'avènement de l'électricité, cette prescription devint superflue.

Les historiens et théologiens se sont longtemps interrogés sur les raisons qui ont poussé Léon X à imposer cette règle. Au fil des siècles, les théories les plus variées, voire fantaisistes, ont fleuri. Mais on n'a jamais trouvé de véritable explication.

Malgré cela, la bulle pontificale n'a jamais été révoquée et, aujourd'hui encore, elle reste un mystère irrésolu.

L'AUBE

1

Le black-out général était prévu pour 7 h 41 du matin.
À partir de ce moment, Rome serait plongée dans un
nouveau Moyen Âge.

La ville subissait un mauvais temps exceptionnel
depuis presque soixante-douze heures : des orages inces-
sants avec des rafales de vent qui dépassaient les trente
nœuds.

Un éclair avait fait sauter une des quatre centrales
électriques. Selon un effet domino, l'avarie s'était
répercutée sur les trois autres, les soumettant à une
dangereuse surcharge.

Pour réparer la panne, il fallait interrompre le service
pendant vingt-quatre heures.

Le black-out avait été annoncé à la population la
veille au soir, avec un préavis très bref. Les autorités avaient assuré que les techniciens travailleraient
d'arrache-pied pour permettre un retour à la normale
dans les délais promis. Néanmoins, toutes les communications allaient cesser. Plus de lignes téléphoniques,
plus d'Internet, plus de téléphones portables. Plus de
radio ni de télévision.

Une remise à zéro technologique. Au beau milieu d'une urgence météorologique.

À 7 h 30, quelques minutes avant la coupure, Matilde Frai se trouvait dans sa cuisine, où elle rinçait la tasse dans laquelle elle avait bu son premier café de la journée. Elle la rangea sur une étagère et récupéra sa cigarette allumée, en équilibre sur le marbre de l'évier. Découvrant une auréole jaunâtre là où elle l'avait posée, elle la fixa longuement.

Une paix inattendue habitait les choses les plus insignifiantes.

Matilde s'y réfugiait pour échapper à ses propres pensées. Dans le coin replié de la page d'une revue, dans un morceau de tissu décousu, dans une goutte de condensation qui glissait sur le mur. Mais la paix ne durait jamais assez longtemps et, une fois qu'elle l'avait épuisée du regard, son démon revenait lui rappeler qu'elle ne sortirait jamais de l'enfer étroit où elle était emprisonnée.

Je ne peux pas mourir. Pas encore, se dit-elle. Pourtant, elle le désirait ardemment.

L'expression de Matilde se durcit à nouveau. Elle porta la cigarette à ses lèvres et tira longuement dessus. Puis elle rejeta la tête en arrière, regarda le plafond et cracha un nuage de fumée blanche, qui contenait toute sa frustration. Autrefois, elle était belle. Pourtant, comme aurait dit sa mère, elle s'était laissée aller. À trente-six ans, elle se retrouvait irréversiblement seule. Personne n'aurait pu imaginer qu'elle avait été une jeune fille. Ce que les gens voyaient – quand ils parvenaient à la voir – était une vieille encore trop jeune.

L'horloge murale indiquait 7 h 32. Matilde tira une chaise rangée sous la table et s'y installa, entourée de la télécommande du téléviseur, d'un paquet de Camel et d'un cendrier en fer-blanc. Elle utilisa son mégot pour s'allumer une autre cigarette.

Puis elle regarda droit devant elle.

— Je devrais… Je devrais t'emmener chez le coiffeur. Oui, tes cheveux sont trop longs sur les côtés, précisa-t-elle en tendant un instant le bras. Et cette frange ne me plaît plus.

Elle acquiesça, comme pour confirmer que c'était la bonne chose à faire.

— Oui, on ira demain, après l'école.

Elle se tut mais ne détourna pas le regard.

Elle fixait la porte de la cuisine.

Il n'y avait personne derrière. Sur le mur à côté du chambranle étaient gravées des marques, environ une vingtaine, qui allaient de bas en haut. Pour chaque entaille, une couleur différente et une date.

La plus haute était verte, et à côté il était écrit : *103 cm – 22 mai.*

Matilde sortit soudain de sa torpeur, comme libérée d'un enchantement. Revenue à la réalité, elle attrapa la télécommande et la pointa vers le téléviseur posé sur le buffet.

Une jolie blonde en tailleur rose dont on ne voyait que le buste apparut. Au bas de l'écran, en surimpression, une inscription : *Mesures exceptionnelles pour la ville de Rome, en vigueur à 7 h 41 le 23 février, jusqu'à la fin du black-out programmé.* La présentatrice, d'un ton calme et posé, lisait un communiqué. « Pour éviter les incidents, les autorités ont ordonné l'arrêt total de la circulation. Il ne sera pas possible de circuler ni de s'éloigner de la ville. Nous vous rappelons que les aéroports et gares ne sont plus opérationnels depuis hier en raison du mauvais temps. Aussi nous recommandons aux citoyens de rester chez eux. Je répète : pour votre sécurité et celle de vos proches, n'essayez pas de quitter la ville. »

Matilde pensa que de toute façon, elle n'avait personne, ni nulle part où aller.

« La journée, ne sortez que si nécessaire. En cas de besoin, exposez un drap blanc à une fenêtre, de façon que les équipes de secours, qui feront des rondes dans les rues, puissent vous rejoindre. Nous vous rappelons que la nuit, il sera obligatoire de respecter le couvre-feu qui débutera une heure avant le coucher du soleil. À partir de ce moment, certaines libertés individuelles seront suspendues. »

Le ton serein et les gestes cordiaux de la présentatrice étaient censés rassurer, pensa Matilde, mais créaient l'effet inverse. Ils avaient quelque chose de grotesque et d'inquiétant. Comme un sourire sur le visage de l'hôtesse d'un avion en chute libre.

« Les forces de police occuperont les quartiers et auront les pleins pouvoirs pour assurer l'ordre public et réprimer les délits : les agents sont autorisés à procéder à des arrestations, y compris sur la base d'un simple soupçon. Les auteurs des crimes commis durant les heures d'obscurité seront jugés en référé, avec une extrême sévérité. Malgré tout, les autorités vous exhortent à vous enfermer chez vous et à prendre les précautions nécessaires pour empêcher des inconnus malintentionnés d'accéder à votre domicile. »

En entendant cette phrase, Matilde Frai rentra la tête dans ses épaules. Elle eut soudain très froid.

La présentatrice blonde posa ses feuilles sur la table devant elle et regarda la caméra. « Certains de votre collaboration, nous vous renvoyons au prochain bulletin d'information, à la fin de l'état d'urgence, d'ici à vingt-quatre heures. Dans quelques secondes, le son des sirènes annoncera la coupure générale et la suspension de toutes les communications. Juste après, les mesures extraordinaires entreront en vigueur et le black-out débutera officiellement. » Elle ne salua pas les téléspectateurs mais offrit un sourire muet à l'objectif. Puis, à l'écran, son visage fut remplacé par l'inscription : *Fin des transmissions*.

À cet instant précis, de puissantes sirènes résonnèrent à l'extérieur.

Matilde regarda par la fenêtre. Il faisait jour, même si le mauvais temps obstruait le ciel et qu'on se serait cru en pleine nuit. Le plafonnier de la cuisine était allumé, mais cela ne rassura pas la femme, qui fixa l'ampoule en attendant qu'elle s'éteigne, d'un moment à l'autre. Cela n'arriva pas tout de suite. La pluie tombait toujours et les secondes se dilatèrent en une éternité insupportable. Matilde regarda à nouveau l'horloge murale. 7 h 38. Non, elle ne pouvait plus attendre. Elle devait faire taire ces maudites sirènes qui lui perforaient le cerveau. Elle écrasa sa deuxième cigarette dans le cendrier, se leva et se dirigea vers un vieux mixeur qu'elle n'avait pas utilisé depuis des années, mais qui était inexplicablement resté branché. Elle l'alluma. Puis ce fut le tour du grille-pain, dont elle actionna également la minuterie. Puis la hotte, la machine à laver, le lave-vaisselle. Sans raison apparente, elle ouvrit grand la porte du frigo. Enfin, elle alluma la radio près de l'évier, réglée depuis toujours sur une station de musique classique. Bach tentait désespérément de se frayer un chemin dans la cacophonie des bruits, mais finit par succomber. Ainsi, après avoir mis en marche tous ses appareils électroménagers et allumé toutes les lampes, Matilde Frai retourna s'asseoir avec l'intention de fumer une autre cigarette. Elle regarda à nouveau l'horloge murale, attendant que le compte à rebours s'achève et que débutent l'obscurité et le silence.

Tandis que la trotteuse marquait péniblement les secondes, le téléphone sonna.

Elle observa le combiné, effrayée. C'était le seul son qu'elle n'avait pas elle-même provoqué. Depuis des années, elle ne fréquentait plus personne. D'ailleurs, en y réfléchissant, cet appareil n'aurait même pas dû se trouver chez elle, dans son nid de solitude forcée. Une brèche s'était ouverte dans son isolement. Les sonneries étaient des cris dans le vacarme, comme s'ils appelaient son nom. Matilde avait deux possibilités : attendre que le black-out mette fin à la torture ou bien le faire elle-même, en allant répondre.

Personne ne m'appelle plus depuis des années. Personne n'a mon numéro.

Ce ne fut pas la curiosité qui la poussa à se lever de sa chaise. Ce fut un présage. Elle souleva le combiné du vieux téléphone et le porta lentement à son oreille. Elle tremblait légèrement. Matilde entendit de brèves décharges électriques, comme si la communication était perturbée. Puis, derrière les sons stridents, une voix émergea.

La voix d'un enfant.

— Maman, dit la voix. Maman ! Maman ! Viens me chercher, maman ! supplia-t-elle, terrifiée.

Elle lui avait fait apprendre par cœur le numéro de la maison le premier jour d'école maternelle. Elle pensait qu'il était plus simple à retenir qu'un numéro de portable. Elle revit la scène : il était assis à la table de cette même cuisine, il venait de terminer son petit déjeuner – lait, biscuits et confiture de raisins. Matilde, agenouillée devant lui, laçait ses chaussures. En même temps, son fils répétait les chiffres un par un et elle faisait de même, du bout des lèvres, pour ne pas trop l'aider. Elle voulait être certaine qu'il s'en souvienne.

L'image du passé s'évanouit comme elle était arrivée. Matilde Frai se retrouva projetée dans le présent, bouleversée, mais parvint à articuler :

— Tobia…

Elle plaça une main sur son autre oreille, parce que le vacarme des appareils ménagers l'empêchait d'entendre.

— Ne me laisse pas ici ! Ne me laisse pas seul ! Je suis là, dit la voix à l'autre bout du fil, entre deux décharges. Je suis…

D'abord, tous les bruits cessèrent. Puis les lumières de la cuisine s'éteignirent toutes en même temps. Le couperet de l'ombre tomba sur les objets, soudain immobiles.

C'est alors que Matilde réalisa que le combiné aussi était inanimé.

Comme s'il n'avait jamais produit aucun son, comme si ce qu'elle venait d'entendre n'était que le fruit de son imagination – ou de sa folie.

Matilde tremblait plus fort, maintenant. Elle regarda à nouveau l'horloge murale.

7 h 41.

2

À 7 h 41, les sirènes cessèrent de sonner.

Néanmoins, ce n'est pas la léthargie simultanée de tous les appareils électriques – des décennies de progrès technologique balayées en un instant –, ni l'interruption soudaine des communications, ni l'isolement claustrophobe qui s'ensuivit, qui marquèrent le plus les esprits en ce début de black-out. Ce fut le silence irréel et inconnu qui surgit, tel un spectre du passé. Une paix à laquelle aucun habitant de Rome n'était habitué, que la pluie dense et monotone rendait encore plus dérangeante.

Ce silence soudain le ramena à la vie.

Il émergea des profondeurs d'un sommeil sans respiration, à la recherche désespérée d'une bouffée d'air. À la troisième tentative, il fit entrer un peu d'oxygène dans ses poumons. Il n'avait pas simplement dormi, il s'était évanoui et noyé en lui-même. Mais quand il ouvrit les yeux, il fut accueilli par d'autres ténèbres.

Je suis aveugle.

Sa difficulté à respirer provenait peut-être de sa posture. Il était à plat ventre, les bras pliés derrière son dos, les poignets enserrés par une morsure glaciale. Des menottes ? Tout d'abord, il tenta de se mettre à genoux pour mettre fin au supplice de l'apnée. Il sentit ses muscles gémir et ses articulations retrouver péniblement leur mobilité. L'opération fut laborieuse.

Je suis nu. J'ai mal au thorax.

L'oxygène irrigua à nouveau son cerveau, des petites boules lumineuses dansèrent dans son champ de vision. Non, il n'avait pas perdu la vue : c'était le monde autour de lui qui avait été englouti par le néant.

Où suis-je ? Qui suis-je ?

Il se sentait perdu. Il faisait totalement noir dehors, mais aussi à l'intérieur de lui.

Qui suis-je, où suis-je ?

Hormis le bruit lointain de la pluie, sa seule référence était olfactive. L'endroit puait. Une odeur d'eau stagnante, mêlée à autre chose.

La mort.

Il avait froid. Il toussa et fut étonné de la façon dont le son résonna. Il toussa encore et écouta, comptant en combien de temps l'écho lui renvoyait le bruit. Désespéré, il utilisa sa voix comme un sonar pour estimer la taille de l'endroit où il se trouvait. Il réitéra l'expérience en s'appuyant sur ses genoux pour faire pivoter son corps. Cela ne suffit pas. Alors il donna un coup de reins et essaya de se lever. La première fois, il retomba sur le côté. La seconde fut la bonne.

Ses pieds étaient plongés dans une vase gluante et humide, sous laquelle il sentait une consistance de pierre dure, sans doute travaillée. Le fait de ne pas se trouver dans une fosse en terre le rassura un peu. Parce qu'on ne peut pas s'échapper d'une fosse. D'un bâtiment, oui.

Il y a toujours une entrée, et donc une sortie. Il avança dans le noir avec l'intention de la trouver, à tout prix. Le sol était irrégulier mais il parvint à garder l'équilibre. Espérant qu'aucun obstacle n'entrave son avancée, il se déplaça en quête d'un mur. Ne pouvant tendre les bras devant lui, il dut se résigner à s'y cogner.

Le choc, bien que léger, renforça la sensation d'oppression. Il respira en attendant que cela passe.

Puis il appuya sa joue gauche contre la paroi et perçut quelque chose de lisse. De la roche. Il décida de glisser le long du périmètre jusqu'à trouver une porte ou une ouverture. Il fit un pas, mais une pointe en pierre le fit trébucher, lui causant une forte douleur aux orteils. Il enragea et se concentra sur son avancée. Il acquit peu à peu une perception du milieu dans lequel il se trouvait. Aucun angle n'interrompait son chemin.

C'était une salle circulaire.

Elle était construite en grandes plaques superposées, ce qui lui indiqua qu'elle était très ancienne. Au départ il n'avait pas pensé qu'elle serait aussi grande. Or plus il avançait, plus il se rendait compte qu'il se trompait. Le mur semblait ne jamais finir. *Où est la porte ? Malédiction.* Le froid de la pierre s'insinuait sous sa peau. Des frissons le parcouraient et il sentait son souffle se condenser devant son visage. S'il ne se dépêchait pas de sortir, il pourrait mourir d'hypothermie. Il s'efforça de ne pas y penser. Il s'immobilisa. Il avait touché quelque chose de familier.

La pointe en pierre qu'il avait heurtée quelques instants plus tôt.

Au début, ce fut une intuition. Il aurait tout donné pour ne pas avoir à faire face à la réalité qui lui ôtait tout espoir. Mais la « chose » prit immédiatement la consistance atroce d'une certitude.

Il avait tourné en rond. Il n'y avait aucune ouverture dans la pièce.

Comme une tombe, pensa-t-il. *Ma* tombe. Ce n'était pas logique : sa présence dans la salle prouvait qu'il existait un accès. Toutefois, cette heureuse déduction fut vite balayée par une autre, tout aussi légitime.

Quelqu'un l'avait emmuré. Emmuré vivant.

Il s'appuya contre le mur et se laissa glisser jusqu'à se recroqueviller sur le sol. Il sentit l'angoisse monter dans son corps sous la forme d'une bouffée de chaleur. La panique était le poison de la raison. Il tenta de la chasser, de reprendre le contrôle, en vain. *Qui suis-je, où suis-je ? Qui suis-je, où suis-je ? Qui suis-je, où suis-je ?...* Il sentit une légère tiédeur couler de son nez à sa lèvre. La goutte escalada le bord de la bouche et il goûta le liquide visqueux. Du sang. Son sang.

Épistaxis.

Il n'avait jamais su de quoi cela dépendait, ni pu prévoir quand cela arrivait : cela pouvait se produire à n'importe quel moment. Sa seule certitude était que, désormais, cette pathologie faisait partie de lui, comme un trait somatique ou de caractère. Un détail défectueux avec lequel il s'était habitué à vivre. Il n'avait jamais compris pourquoi le Seigneur lui avait infligé cette petite imperfection gênante. Maintenant, enfin, il savait. Il l'avait fait pour qu'en ce jour malheureux il puisse s'agripper de toutes ses forces à ce détail et l'utiliser pour libérer sa mémoire des ténèbres.

Je m'appelle Marcus, se dit-il. *Et je souffre d'épistaxis.* Le reste des souvenirs suivit comme un flot impossible à arrêter. *Je suis prêtre. J'appartiens à l'ordre sacré des Pénitenciers, qui répond au Tribunal des âmes. Je suis le dernier membre de ma congrégation. Personne ne sait que j'existe, personne ne connaît mon identité.* Il répéta ce qui lui avait été enseigné : « Il existe un lieu où le monde de la lumière rencontre celui des ténèbres. C'est là qu'advient chaque chose : dans la terre des ombres, où tout est rare, confus, incertain. Je suis le gardien de cette frontière. Parce que, parfois, quelque chose réussit à la franchir... Je suis un chasseur des ténèbres. Mon devoir est de les repousser. »

Il se sentit plus tranquille. Parce que son pire cauchemar – en plus d'être enterré vivant dans une crypte – était d'oublier qui il était... *une seconde fois.* Des années auparavant, il s'était retrouvé à la dérive dans son propre esprit, dans un lit d'hôpital, à Prague, après avoir reçu une balle dans la tête dans une chambre d'hôtel. L'amnésie était un océan plat, immobile, sans vent ni courant. Il ne pouvait y naviguer et il ne s'y passait jamais rien. Il y restait immobile, attendant un secours qui n'arrivait jamais.

Une nuit, Clemente – son guide – était apparu à côté de son lit et lui avait offert la vérité sur son passé, en échange d'une promesse solennelle qui l'engageait pour le restant de ses jours. Il avait accepté. Personne ne pourrait lui rendre ses souvenirs, mais à partir de ce moment il pourrait s'en créer des nouveaux. Ainsi en était-il allé. Et Marcus ne voulait pas les perdre. Même si la plupart étaient douloureux.

Maintenant, Clemente était mort. Il avait un nom – le bien le plus précieux qu'il possédât. Les seuls souvenirs de son passé avant Prague étaient une cicatrice sur la tempe gauche… et son épistaxis – grâce à Dieu.

Un élancement dans la poitrine lui coupa à nouveau le souffle. Marcus se pencha instinctivement en avant, espérant stopper la douleur. Il ne savait pas de quoi cela dépendait, il n'avait jamais rien ressenti de semblable dans sa vie – du moins, durant la partie qu'il se rappelait. Cela fonctionna. La douleur disparut aussi soudainement qu'elle était venue.

Ce n'est pas terminé, se dit-il. S'être réveillé d'un sommeil qui l'aurait doucement conduit à la mort ne suffisait pas. Il pouvait encore mourir. En effet, il n'avait aucun moyen de se libérer de la morsure des menottes. Aussi, avant que la peur prenne à nouveau le dessus en le privant de son instinct de survie, il s'efforça de reconstituer ce qui lui était arrivé. Il écarta pour l'instant la question de savoir où il se trouvait, parce qu'il y avait plus urgent.

Comment était-il arrivé ici ? Pourquoi était-il menotté ? Mais surtout : *qui* lui avait fait cela ?

Son esprit était obstrué par une sorte de mur noir, infranchissable. La dernière chose dont il se souvenait était qu'il y avait un problème sur le réseau électrique de Rome et qu'il allait probablement être nécessaire de procéder à une coupure générale. Mais il ne savait pas combien de temps avait passé depuis. Sans doute pas des jours, ni des semaines. En témoignait le fait qu'il était vivant. Avant de se produire dehors, le black-out avait eu lieu dans sa tête. Même s'il s'agissait d'une amnésie très brève qui n'avait pas compromis la partie consistante de sa mémoire, Marcus en était effrayé.

Quelle en était la cause? Peut-être l'asphyxie?

Il devait reconstituer ce qui s'était passé. Exactement comme quand, visiteur secret des scènes de crime, il essayait de lire les signes du mal sur un cadavre étranglé, coupé en morceaux ou brûlé. Parce que c'était à cela qu'il était le meilleur : chercher des *anomalies*. Des plis imperceptibles sur la toile de la normalité. Des défauts dans la trame des choses – comme son épistaxis. Révélant souvent un dessein caché, ces petites portes conduisaient à une autre dimension, tel un passage occulte vers une vérité différente.

Néanmoins, dans le cas présent, il n'y avait pas de corps silencieux à interroger du regard.

Cette fois, c'était lui la victime.

Pour couronner le tout, tous ses sens n'étaient pas en alerte pour enquêter. En plus de sa mémoire immédiate, son toucher était compromis par les menottes qui lui enserraient les poignets. Et, surtout, il lui manquait la vue. Faisant appel à son ouïe et à son odorat, il passa au crible l'obscurité. Le bruit de la pluie, ténu, comme une percussion légère et constante, et l'odeur piquante d'humidité lui indiquaient qu'il se trouvait sous terre. Dans une citerne, ou peut-être un souterrain. Hélas, il n'en déduisait rien d'autre.

Il fut déconcentré par un nouvel élancement au thorax qui lui coupa le souffle : une fois encore, ce fut comme si on lui avait lacéré les côtes avec une lame. Pourquoi une telle douleur? Comme s'il avait en lui quelque chose de toxique que son estomac essayait d'expulser.

L'image qui se forma dans son esprit fut celle d'un insecte qui creusait son nid dans son sternum.

Le spasme disparut. Anomalies, se dit-il. C'était le seul espoir qui lui restait pour ne pas succomber.

C'est de là qu'il partit : de sa propre mort.

La personne qui l'avait enfermé là-dessous l'avait déshabillé et menotté. Néanmoins, hormis la crampe d'origine inconnue qu'il ressentait parfois en haut de l'estomac, Marcus n'était pas blessé.

Il veut me faire mourir d'inanition.

Il repensa aux différentes étapes qui le conduiraient à une mort certaine. Après quelques jours sans nourriture, ne trouvant plus de substances ni de gras pour alimenter son métabolisme, son organisme brûlerait la masse musculaire. En pratique, son corps se nourrirait de lui-même. Ses organes internes entreprendraient une rébellion soudaine faite de douleurs indicibles, jusqu'à renoncer par épuisement. Un lent supplice qui pouvait durer des semaines. Certes, Marcus aurait pu se nourrir de la bouillie putride d'eau et de terreau qui recouvrait le sol de sa prison. Cela aurait ralenti sa déshydratation, mais en définitive cela n'aurait que prolongé son agonie. C'était peut-être une chance que son geôlier lui ait retiré ses vêtements et l'ait menotté. La contrainte des membres supérieurs et l'hypothermie créaient des douleurs additionnelles, mais qui accéléreraient le décès.

Pourquoi a-t-il choisi cette mort pour moi ?

Son assassin voulait qu'il devienne fou, qu'il arrache sa propre chair à coups de dents dans la tentative vaine de faire cesser les crampes de la faim. Marcus avait lu l'histoire de spéléologues perdus dans les viscères de la terre, sans rien pour survivre, qui au fil des jours avaient développé un instinct cannibale.

Les plus faibles étaient mangés par les plus forts. Ceux qui n'arrivaient pas à dominer les autres attendaient de devenir nourriture, et entre-temps ils ressentaient l'envie irrépressible de mordre des parties de leur corps. L'estomac prend le pas sur le cerveau – l'appétit irréfrénable sur la raison.

Qu'ai-je fait pour mériter ça ?

« Mériter » était le mot-clé.

Première anomalie : son assassin ne voulait pas simplement le tuer. Il voulait le *punir*. Dans la Rome antique, l'affamement était une forme de torture très pratiquée.

— Une prison, dit le pénitencier aux ténèbres. Je suis dans une prison.

La pierre de tuf dont était faite sa cellule indiquait qu'il s'agissait d'une construction millénaire. Or il y avait à Rome des dizaines de lieux comme celui-ci.

Non, se dit-il. *Il m'a emmené ici dans un but précis. Il voulait que je me réveille, c'est pour cela qu'il ne m'a pas tué tout de suite. Il voulait que je meure lentement mais, surtout, que je* sache.

C'est un sadique, il veut que j'aie la cognition du lieu où je me trouve. Et, donc, que je sois conscient que je ne sortirai jamais d'ici.

Pour cette raison, Marcus devait comprendre ce qui distinguait cette prison des autres. Il plongea une nouvelle fois les pieds dans la bouillie humide en dessous de lui.

Seconde anomalie : l'eau.

Elle était plus froide que de l'eau de pluie. Elle ne venait pas d'en haut, elle surgissait d'en bas. C'était une source. *Tullius*, traduisit-il en latin. La source d'eau qui affleurait dans les caves de tuf à côté de la colline du Campidoglio, là où se trouvait la prison Mamertino, ou Tulliano, justement. Il se trouvait sans doute dans le Tullianum, une chambre souterraine divisée en deux parties. La partie supérieure servait aux geôliers à interroger, torturer ou mettre à mort les détenus. Dans celle du bas, les prisonniers étaient jetés après l'arrestation, en attendant leur tour. Entre-temps, ils pouvaient entendre les cris de leurs compagnons et goûter à l'avance le sort qui leur était réservé.

Si cette salle était le Tullianum, alors il y avait une entrée.

Il n'existait qu'une façon de le découvrir. Marcus appuya son dos à la paroi et, poussant sur ses talons, parvint à se mettre debout. Quand il fut certain de son équilibre, il se dirigea lentement vers ce qu'il imaginait être le centre de la pièce. Comme elle était circulaire, il suffirait d'en parcourir le rayon, même si dans le noir il était difficile de maintenir une direction précise. Il ne savait même pas combien de pas il devait faire pour se trouver à l'endroit exact. Au bout d'une dizaine, il sentit quelque chose au-dessus de sa tête.

Un très léger courant d'air.

Il s'arrêta. Au-dessus de lui devait se trouver l'ouverture circulaire qui menait dans le souterrain. Mais à quelle distance ? Même s'il avait eu les bras libres pour s'élancer, il n'aurait jamais pu sauter aussi haut. Ou bien si ?... Peut-être était-ce pour cette raison que son assassin l'avait menotté. Marcus le maudit. Mais il ne devait pas laisser la rage prendre le dessus. Le choix du lieu, les menottes : ces deux éléments avaient une motivation. Que restait-il à expliquer ?

Troisième anomalie : la nudité.

Pourquoi m'a-t-il laissé ici sans vêtements ?

Pour m'humilier, fut la réponse. *Il m'a retiré mes vêtements parce que je suis un prêtre, même si je ne m'habille pas en prêtre.* La pire humiliation pour un homme de Dieu est d'être dévêtu et moqué. Le Christ a fini nu sur sa croix. Toutefois, son appartenance à l'Église constituait aussi la raison pour laquelle il avait reconnu immédiatement la prison Mamertino : une légende racontait que c'était là qu'avaient été détenus les apôtres Pierre et Paul. Le geôlier avait prévu que Marcus arriverait à cette conclusion.

Pierre et Paul avaient réussi à s'enfuir de ce lieu… *Il m'offre la possibilité de me sauver*, pensa le pénitencier en retrouvant l'espoir.

Il me soumet à une épreuve.

Les deux apôtres avaient retrouvé la liberté en convertissant leurs propres geôliers et en les baptisant avec l'eau du Tullius.

— Eau… Baptême… Fonts baptismaux…, énuméra Marcus en essayant de rassembler le peu dont il disposait à la recherche d'un sens, ou seulement d'un lien. L'eau purifie l'âme. Et l'âme purifiée montera au ciel, à la gloire de Dieu.

De même qu'il aurait pu se soulever dans l'ouverture au-dessus de sa tête et gagner la liberté. Chaque chose avait une signification symbolique. Marcus savait qu'il était proche de la solution de l'énigme.

— L'âme est en nous… Donc le salut est déjà en nous.

En s'entendant prononcer cette dernière phrase, il se tut et balaya toutes les autres pensées de son esprit, craignant de perdre le pan de vérité qu'il venait de saisir. Cela avait un sens.

Quatrième anomalie : la douleur au thorax.

— Je ne suis pas blessé, répéta-t-il.

Il avait seulement été saisi plusieurs fois, brièvement, d'un mal-être. Comment était cette douleur ? Lancinante. Et elle lui coupait la respiration.

La respiration, se dit-il. La suffocation qui l'aurait tué s'il ne s'était pas réveillé. L'asphyxie aurait provoqué une perte de lucidité et, par conséquent, de la mémoire. Il repensa à l'image de l'insecte famélique qui creusait sa tanière dans sa poitrine.

L'asphyxie, la douleur n'étaient pas pathologiques. *Elles sont provoquées par quelque chose.* Alors, il sut ce qu'il devait faire.

Il se remit à genoux, puis se pencha en avant. Il toussa, de plus en plus fort, avec l'espoir de sentir à nouveau le spasme qui lui lacérait le thorax et les côtes. Nu et à plat ventre comme un pénitent, il invoqua une douleur salvatrice. Il contracta le diaphragme pour l'aider à expulser ce qu'il avait dans l'estomac. Une crampe très violente, puis une autre. Il se mit à vomir. De la nourriture, des liquides. En remontant le long de son œsophage, ils lui fournirent la preuve qu'il ne s'était pas trompé.

Il m'a forcé à avaler quelque chose. Un corps étranger – un insecte.

La bête était immobile, peut-être coincée. Il devait la déloger. Il continua à se faire vomir. Chaque jet était douloureux, mais il sentait que la chose remontait lentement. Quand les résidus de nourriture furent tous sortis, il cracha des sucs gastriques, puis du sang. Il

31

en reconnut le goût métallique sur sa langue, mais la crainte d'une hémorragie interne ne l'arrêta pas. De temps à autre il s'arrêtait pour reprendre son souffle. Cependant, millimètre après millimètre, l'intrus sortait.

C'est le diable. Il a pris les traits de l'insecte et il me possède. Mon Seigneur, aide-moi. Dieu Tout-Puissant, aide-moi.

Ses yeux le brûlaient, sa mâchoire semblait sur le point de se décrocher. S'il s'évanouissait à nouveau, il ne se réveillerait pas. Avec la force du désespoir, il vomit plus violemment. Enfin, il sentit dans sa bouche quelque chose de solide, en plus du sang. Comme dans un exorcisme, il s'était libéré du démon. Mais il n'en était pas encore sûr.

Jusqu'à ce qu'il entende un tintement. Tout près, devant lui.

Il n'attendit pas de se sentir mieux : il plongea son visage dans la boue, cherchant l'intrus avec la bouche même qui l'avait expulsé. Ses lèvres effleurèrent le métal. Il avait bien deviné.

L'insecte était une petite clé.

Il la saisit entre ses dents et se traîna à nouveau vers le mur. Puis il la laissa tomber au pied de la paroi et se tourna pour l'attraper du bout des doigts. Son impatience le ralentit dans ses mouvements. Il parvint enfin à glisser la clé dans la serrure des menottes et à ouvrir. Ayant retrouvé l'usage de ses bras, il retourna à l'endroit où il avait senti le courant d'air. Pour éviter de glisser, il nettoya d'abord la boue sur le sol. Puis il prit son élan et sauta en tendant les bras. Rien. Deuxième tentative. Rien. Il en fallut au moins six avant qu'il touche la roche de la voûte. Dix autres avant qu'il parvienne à s'agripper solidement au bord circulaire de l'ouverture. Il se hissa vers le haut au prix d'un immense effort, posa ses coudes sur le sol et sentit sa peau griffée. Mais il ne lâcha pas.

Il avança sur la pierre avec tout ce qu'il avait – ongles, muscles, os.

Enfin, il se retrouva dehors. Mais c'était encore l'obscurité qui l'attendait.

Il s'allongea sur le dos pour récupérer ses forces, les bras écartés. Son thorax était un piston qui aidait sa respiration. Il fit le signe de croix en guise de reconnaissance. Puis il tenta de remettre de l'ordre dans ses pensées. Il se rappelait que plusieurs tunnels partaient de la pièce supérieure du Tullianum, montant vers l'extérieur. À tâtons, il trouverait la sortie. En se relevant, il heurta quelque chose avec son genou. Il avança la main et trouva un objet long, en plastique, qu'il reconnut : une torche électrique. Il l'alluma. Le rayon de lumière éclaira violemment son visage, le forçant à fermer les yeux. Puis il le pointa vers l'ouverture qui conduisait à la salle adjacente.

Le noir filtrait à travers la porte.

Marcus balaya la pièce avec sa torche. C'est alors qu'il les vit, dans un coin : ses vêtements. Ce qui le frappa fut qu'ils étaient parfaitement pliés. Transi de froid, il les saisit. Ils étaient trempés de pluie. *Alors cela ne fait pas longtemps que je suis là*, se dit-il, *sinon ils auraient séché.* Il les enfila, il n'avait pas d'alternative. Et il fit une deuxième découverte.

À la place de ses chaussures noires habituelles, il y en avait d'autres, en toile blanche. D'où venaient-elles ?

Une fois habillé, il glissa une main dans la poche droite de son pantalon, à la recherche de sa médaille à l'effigie de l'archange Michel, protecteur des pénitenciers. Avec, il trouva un papier plié en huit. Il l'observa un moment avant de l'ouvrir.

C'était une page arrachée à un carnet. Il reconnut son écriture. Pourtant, une des règles des chasseurs des ténèbres était de ne pas laisser de traces pouvant révéler leur existence. Il ne prenait pas de notes, il n'enregistrait pas sa propre voix, il évitait d'être filmé ou photographié. Il ne possédait aucun appareil électronique permettant de le retracer ou de le localiser, pas même un téléphone portable. Il trouva donc ce papier encore plus étrange que les chaussures blanches. Dessus, trois mots étaient notés :

Trouve Tobia Frai.

Un message qu'il s'était laissé à lui-même. Le Marcus du passé, d'avant la brève amnésie qui l'avait conduit au fond d'un trou sombre et malodorant, avait trouvé le moyen de se mettre en contact avec le Marcus du présent.

Il y avait une urgence dans ces mots. Qui était Tobia Frai ? Le connaissait-il ? Ce nom était le seul indice dont il disposait pour reconstruire la mémoire de ce qui lui était arrivé dans les dernières heures, durant la nuit avant le black-out.

Avant de chercher une sortie, il jeta un dernier coup d'œil à l'ouverture de la pièce du bas. Il eut la sensation de ne pas être seul. Comme si là-dessous, recroquevillé dans les ténèbres, quelqu'un d'autre s'était trouvé avec lui. Deux yeux silencieux capables de voir dans le noir.

3

7 heures et 24 minutes avant le coucher du soleil

Les lieux publics, les magasins, les bureaux et les écoles devaient rester fermés pour une durée indéterminée. L'éclairage des rues avait été éteint, de même que les feux de circulation. Hormis les ambulances et les véhicules des forces de l'ordre et des pompiers, la circulation était interdite. Même le métro était fermé.

On ne pouvait se déplacer qu'à pied.

La ville aurait dû être déserte. Toutefois, tout le monde n'affrontait pas l'état d'urgence de la même façon. Ignorant les alarmes et les recommandations, beaucoup de gens étaient sortis pour expérimenter cette Rome vidée de son chaos quotidien de voitures et de touristes. Une étrange euphorie, qui ressemblait à de la folie collective, s'était emparée d'eux : ils se réunissaient sur les ponts et sur les places, défiaient les intempéries pour fêter l'extinction imminente et burlesque de la ville qui se croyait « éternelle ».

Marcus marchait parmi la foule, invisible comme toujours. Les mains dans les poches de sa veste, le col relevé pour cacher son visage, le dos voûté, il rasait les murs des immeubles pour se protéger de la pluie.

Il était un extraterrestre au milieu de ce carnaval improvisé, mais personne ne s'en apercevrait : les gens étaient bien trop occupés à exorciser une peur dont personne n'avait envie de parler, qui était la véritable raison qui les avait poussés à sortir de chez eux. Tant qu'il faisait jour, tant que la faible lueur du soleil permettait de distinguer les visages, tout leur apparaissait comme une nouveauté joyeuse et inespérée. En réalité, Marcus connaissait bien cette peur inavouée.

Personne ne savait ce qui se passerait à la nuit tombée.

Malgré les mesures adoptées pour prévenir l'anarchie et les messages rassurants des autorités, le crépuscule représentait une frontière symbolique. À partir de là, la ville deviendrait le territoire des ombres. Pour l'instant, elles étaient tapies, mais elles profiteraient des ténèbres pour sortir de leur cachette et laisser libre cours à leurs pulsions les plus dangereuses.

C'était pour cela que Marcus accélérait le pas : il avait un mauvais pressentiment. Autrement, rien n'expliquait les instructions notées sur la feuille retrouvée dans sa poche.

Retrouver Tobia Frai.

Dans d'autres circonstances, la première chose qu'il aurait faite aurait été d'entrer dans un cybercafé pour chercher sur la Toile. Mais le black-out changeait tout. Ce qui était habituellement simple devenait impossible. Aussi, la première étape du pénitencier fut son appartement, via dei Serpenti, pour enfiler des vêtements secs. Il se dépêcha, parce qu'il craignait que quelqu'un surveille son immeuble pour s'assurer qu'il n'ait pas survécu à la torture du Tullianum. Ne se rappelant rien de son ennemi et n'étant pas en mesure de comprendre pourquoi sa vie avait été mise en danger, il devait se fier à son instinct, qui lui dictait d'agir avec prudence.

Arrivé près du bâtiment, il s'arrêta au coin de la rue. Discrètement, il regarda autour de lui. Dans les ruelles du quartier Monti, des jeunes gens se dirigeaient vers les lieux bondés où se déroulaient des fêtes absurdes. Ils criaient et riaient, leur exubérance résonnait entre les immeubles, à peine atténuée par le bruit de la pluie.

Marcus attendit une quinzaine de minutes, glacé, sous un porche, puis il décida que le lieu était sûr : rien de suspect, personne ne l'attendait. Il sortit de sa cachette.

Il entra dans le vieil immeuble populaire et monta l'escalier. Au fil des ans, les autres locataires semblaient ne jamais s'être demandé qui était l'étrange occupant du dernier étage. Marcus se montrait peu. Le jour, il s'enfermait chez lui et évitait de faire du bruit. Il sortait la nuit mener ses missions à bien, pour ne revenir qu'à l'aube.

Sur le seuil de son petit refuge, il récupéra la clé cachée dans une minuscule niche près du chambranle, puis ouvrit.

Tout était en ordre, tel qu'il l'avait laissé. La valise contenant des vêtements ouverte sur le sol, un matelas dans un coin. Sur le mur à côté de sa couche, sous le crucifix, il avait noté des choses à la main. Elles remontaient à la première fois qu'il n'avait pas respecté la défense d'écriture imposée aux pénitenciers – avant le papier qu'il avait retrouvé dans sa poche.

Cela s'était passé après les événements de Prague et la grave amnésie dont il avait souffert. Une fois arrivé à Rome, dans une tentative désespérée de se rappeler son passé, il avait noté sur ce mur les pans de mémoire qui lui revenaient dans son sommeil – les cadavres de son naufrage intérieur, restitués par une mer d'obscurité, un à la fois. Désormais les inscriptions étaient ternies, elles appartenaient à une angoisse évanouie. Marcus ne craignait plus ce qui s'était produit : sa seule peur était que cela arrive à nouveau.

Comme cette nuit, pensa-t-il. L'idée de ne pas se rappeler les dernières heures le dérangeait. Était-ce un épisode transitoire ou cela se reproduirait-il ?

Tout en y réfléchissant, il se changea. Il aurait également voulu remplacer ses tennis en toile, trempées par la pluie. Mais il ne possédait qu'une paire de chaussures, et il ne savait pas où elles se trouvaient. Pour les enfiler, il s'assit sur l'unique chaise présente. Et il s'arrêta net : quelque chose avait attiré son attention. Entre les couvertures roulées sur le lit, il aperçut une photo qu'il connaissait bien.

Personne ne sait que j'existe. Personne ne connaît mon identité, s'était-il répété intérieurement dans sa prison du Tullianum. Mais ce n'était pas exact : une personne le connaissait. Cette photo en était la preuve.

C'était l'image fugace d'une femme, volée avec un appareil jetable acheté dans une boutique de souvenirs à Trastevere. Il se rappelait le moment exact où il l'avait prise.

Après leur dernier adieu – et un baiser qu'il n'oublierait jamais –, il l'avait souvent suivie en cachette. Il était poussé par le besoin impérieux de veiller sur elle, de s'assurer qu'elle allait bien. Rien de plus, se répétait-il. Mais un jour, il avait voulu la photographier. Il avait attendu qu'elle sorte de chez elle, un matin d'automne. Un vent frais soufflait sur Rome, des rafales brèves mais énergiques. Marcus se trouvait derrière elle, attendant le bon moment. Lors d'une rafale plus forte que les autres, elle s'était retournée, comme si le vent avait prononcé son prénom : Sandra.

Marcus avait saisi l'instant.

Cette unique, précieuse photo contenait son essence. Sa force, sa douceur. Et la mélancolie de son regard.

Marcus la conservait sous son oreiller. L'idée qu'elle l'attendait dans cette mansarde lui donnait l'impression de rentrer chez lui. Mais là, elle n'était pas rangée à sa place. Il n'y avait qu'une seule explication.

Il avait eu de la visite. Et en partant, la personne avait voulu laisser une trace évidente de sa présence.

Marcus ramassa la photo avec délicatesse. En dessous, il découvrit une petite croix noire en obsidienne. Il comprit tout de suite la signification de l'objet.

Le pénitencier avait été convoqué.

4

Battista Erriaga se tenait debout devant la grande baie vitrée de son luxueux appartement du dernier étage avec vue sur les Forums impériaux.

Ce panorama *select* était grisé par la pluie, mais le cardinal s'en moquait. Il était plongé dans ses pensées et jouait avec la bague pastorale à son annulaire droit. Ce geste machinal l'aidait à réfléchir.

Derrière lui, un feu crépitait dans la grande cheminée en travertin rose. Les flammes se reflétaient, dansantes, sur les canapés blancs et sur les murs, colorant les visages des éphèbes en marbre clair ou se mêlant aux teintes du triptyque sacré peint par le Guerchin, qui avait appartenu au XVIIe siècle à la collection privée du cardinal Ludovisi, ou encore au visage dolent de la Madone du Pérugin. Ces chefs-d'œuvre étaient accompagnés d'autres, signés de Ghirlandaio ou d'Antonio del Pollaiolo, de Paolo Uccello ou de Filippo Lippi. Ils provenaient directement du musée du Vatican et Erriaga, fort de sa position au sein de la curie, avait exigé et obtenu qu'ils décorent son appartement. Après avoir passé son enfance et sa jeunesse dans la misère aux Philippines, le cardinal souhaitait désormais poser son regard uniquement sur du beau. Pourtant, en cet instant, ces œuvres d'art ne lui procuraient aucun réconfort.

Sa journée avait commencé très tôt, de la pire des façons.

Et dire que la veille au soir, après avoir écouté les prévisions météo, il avait prévu de profiter de la tempête bien au chaud chez lui, calé dans son fauteuil préféré en compagnie de Mozart, d'une boîte de Montecristo n° 2 et d'une bouteille de Glenfiddich Rare Collection 1937.

Malgré le climat d'austérité qui flottait depuis quelque temps au Vatican, Erriaga n'avait pas l'intention de renoncer à sa dose de plaisirs matériels. À la différence de ses collègues cardinaux qui adoptaient en public une tenue et une attitude de plus en plus sobres, réservant le luxe à la sphère privée, il se moquait du qu'en-dira-t-on. Il continuait de porter des tuniques en soie et mohair achetées aux couturiers de la via dei Cestari, il portait au cou des croix d'or incrustées de lapis-lazuli et d'améthystes. Et il fréquentait assidûment les restaurants où les hautes sphères vaticanes concluaient généralement des accords avec le monde politique ou le monde des affaires de la ville, comme L'Eau vive au Panthéon, où il aimait commander des *Filets de perche à la pékinoise**, ou le Velando de Borgo San Vittorio, où il raffolait du *semifreddo* à la châtaigne avec crème au nougat. Bien sûr, il accordait à ces mets les vins les plus coûteux :

---

* Tous les mots et expressions en italique suivis d'un astérisque sont en français dans le texte. *(N.d.T.)*

Chambolle-Musigny et Brunello di Montalcino. La raison était simple : il ne serait jamais comme les autres.

L'Avocat du diable du Tribunal des âmes possédait un pouvoir énorme.

Le « premier confesseur » de Rome connaissait les péchés les plus secrets des hommes et il s'en servait pour conclure des pactes et calmer ses ennemis, au sein ou hors de l'Église. On aurait pu appeler « chantage » ses banals avertissements, mais Erriaga aimait se voir comme un bon père de famille, parfois appelé à remettre ses enfants dans le droit chemin. Il soutenait, notamment à lui-même, qu'il poursuivait un « but intérieur » qui, par le plus grand des hasards, coïncidait parfaitement avec son profit.

Cela faisait maintenant des années que Rome lui mangeait dans la main, grâce aux secrets qu'il détenait.

Beaucoup de gens, après avoir été impliqués dans une scélératesse, commettaient une erreur fatale : ils allégeaient leur conscience auprès d'un prêtre. Les péchés capitaux, qui ne pouvaient être absous par un banal curé, arrivaient jusqu'au Tribunal des âmes, dernière instance des catholiques pour toute *culpa gravis*. Et ainsi, le cardinal était mis au courant. Erriaga savait dès le départ qu'il ferait chanter le pécheur du jour. C'était toujours ainsi : d'abord ils se repentaient, sincères, mais pour les pousser à recommencer il suffisait de peu.

Le pardon. Le pardon était le meilleur moyen de nourrir la tentation.

Erriaga regrettait les temps de la Sainte Inquisition, où les pécheurs recevaient un châtiment physique sévère. Il était prouvé que beaucoup d'entre eux finissaient par se convertir et ne plus se laisser tenter par le démon.

Le péché était extirpé par la douleur.

Toutefois, le cardinal ne disposait malheureusement pas des mêmes instruments de persuasion, aussi il détestait quand les choses échappaient à son contrôle.

Or, la veille au soir, deux nouvelles l'avaient profondément troublé. La première avait été l'annonce du black-out, conséquence imprévue du mauvais temps. Cela lui avait immédiatement rappelé un moment précis de l'histoire : la prophétie de Léon X, avait-il pensé, envahi par une étrange inquiétude, comme si de l'eau glacée coulait dans ses veines.

Il avait appris la seconde nouvelle après la coupure de courant, alors qu'il se débattait dans un sommeil agité dont il ne parvenait pas à se réveiller. Au début, il avait béni la voix de son secrétaire qui l'avait libéré de son tourment. Puis, en le regardant, il avait compris qu'il agissait en messager funeste.

Une mort soudaine avait eu lieu entre les murs du Vatican.

Erriaga n'était pas superstitieux, pourtant il s'était demandé dans quelle mesure les deux événements étaient liés.

La prophétie… Les signes…

Il avait chassé cette idée, agacé. Il essayait de l'ignorer, mais elle avait tout de même pris racine dans son esprit, comme une mauvaise herbe qui repousse quand on l'arrache.

Sans le black-out, il aurait composé le numéro d'une boîte vocale que lui seul connaissait et il aurait laissé un message. Cette fois, il avait dû agir autrement. Il avait retiré son habit ecclésiastique et avait passé la seule tenue civile qu'il possédât, rangée au fond de son armoire. Il l'utilisait quand il voulait se déplacer dans les rues de Rome sans être reconnu. Puis il avait enfilé un gros blouson et une casquette et s'était rendu à une adresse du quartier Monti. Il avait attendu longtemps puis, las et impatient, il était rentré, laissant une invitation claire à son hôte.

Une croix en oxydiane.

De retour chez lui, il avait congédié ses domestiques pour rester seul. Cette précaution était insuffisante, il le savait. Il prenait un risque, mais il n'avait pas le choix.

À ce moment-là, il entendit un bruit dans son dos. Une porte qui s'ouvrait, des pas.

Marcus avait trouvé l'entrée secondaire ouverte et avait emprunté l'escalier de service pour monter à l'appartement. En général, on y accédait directement par un ascenseur, qui bien sûr ne fonctionnait pas ce jour-là. Toutefois, il n'aurait pas été opportun de l'utiliser, même s'il y avait eu du courant. Le pénitencier savait que sa présence dans cette maison était risquée. Le cardinal prenait toujours beaucoup de précautions avant de le rencontrer et choisissait des lieux discrets et isolés. Son identité et sa mission étaient secrètes : rien ne devait relier les deux hommes. Si Erriaga avait pris la peine de le chercher jusque dans sa mansarde puis l'avait convoqué chez lui, la situation devait être grave.

Le cardinal se retourna. Marcus se tenait immobile dans le coin le plus sombre de la pièce. Une petite flaque de pluie s'était formée à ses pieds, s'élargissant lentement sur le sol en marbre blanc de Carrare. Son visage portait les traces des événements de la nuit. Il n'en parlerait pas à Erriaga, pas encore. Mais il comprit que le cardinal avait des soupçons, ou plutôt qu'il se demandait si, dans ces conditions, il pouvait encore lui faire confiance.

— Cette nuit, un homme est mort, dit le Philippin. Pas n'importe qui. C'était un homme puissant. De ceux qui croient généralement être immortels. Et il est mort de façon très stupide.

Marcus remarqua que le cardinal tentait de cacher quelque chose sous son sarcasme et son mépris habituels. Était-ce de la peur?

— Connaissais-tu l'évêque Gorda?

Son visage lui apparut immédiatement. Il était impossible de ne pas connaître Arturo Gorda : il avait été le chef charismatique d'une congrégation puissante qui organisait des rassemblements spirituels. Des foules entières unies pour prier. Gorda était un homme d'espoir, un paladin des pauvres, des inadaptés. Doté de la capacité rare d'encenser les foules d'un mot, d'un geste.

Au Vatican, il avait dû attendre avant que ses mérites soient reconnus. Il était perçu comme un personnage peu commode, hors du cadre, loin des logiques politiques habituelles. Il avait été promu et admis à la curie de Rome alors qu'il était déjà âgé. Peut-être parce que désormais, il ne pouvait plus prétendre au trône de saint Pierre. Néanmoins, Gorda jouissait de l'estime du souverain pontife, qui le voulait toujours à ses côtés. Il lui avait même fait réserver une petite dépendance dans le Palais apostolique, à côté de ses appartements. Il était bien plus qu'un simple conseiller. Quand il parlait, on entendait dans sa bouche la voix du pape. Les puissants jouaient des coudes pour être reçus par lui.

Mais Gorda préférait être populaire auprès des gens du commun. Il était aimé et, malgré les privilèges auxquels il aurait pu prétendre, il menait une existence modérée. Pour cette raison, et d'autres encore, l'évêque était diamétralement opposé à Battista Erriaga. Les deux hommes ne s'appréciaient pas, ce n'était un secret pour personne. La mort de son rival ne réjouissait cependant pas le cardinal. Au contraire, à cause du moment et de la façon dont elle s'était produite, elle constituait un problème.

— Gorda a laissé un signe, dit Erriaga. Certains lui voyaient les qualités d'un saint. Personne ne se serait scandalisé si après sa mort il avait reçu les honneurs des autels, affirma le cardinal avec sincérité. En revanche, après cette nuit…

Erriaga s'approcha du précieux bureau du XVIIIe siècle napolitain sur lequel Pie IX avait rédigé sa bulle *Ineffabilis Deus*. Marcus aperçut plusieurs Polaroid sur le plan de travail. Le cardinal les avait demandés aux hommes de la gendarmerie pontificale juste après la découverte du corps. Il les ramassa en hâte et les tendit à son hôte d'un geste brusque, comme s'il voulait mettre de la distance entre lui et ces images.

Marcus les saisit et les regarda.

— J'ai dû me faire expliquer ce que c'était, sinon je n'aurais pas compris, affirma Erriaga. On l'appelle le « collier du plaisir ». Apparemment c'est une pratique d'autoérotisme bondage. Un engin intéressant, tu ne trouves pas ?

Sur la photo on voyait un vieil homme recroquevillé sur le sol, nu. Des lunettes à réalité augmentée cachaient une partie de son visage. L'appareil était relié par un petit câble à un collier en cuir qui enserrait la gorge de la victime.

— Il semblerait que certains individus éprouvent du plaisir à se faire étrangler.

Marcus repensa à l'étouffement qu'il avait ressenti ce matin-là au Tullianum.

— Des images pornographiques défilent dans les lunettes, augmentant ainsi l'excitation sexuelle. Des capteurs la détectent et serrent progressivement le collier, provoquant une lente asphyxie qui – dit-on – accroît la jouissance.

Marcus était extrêmement surpris d'entendre une telle description dans la bouche du cardinal, qui ne semblait pas s'étonner de cette pratique singulière et en parlait avec beaucoup de naturel.

— Personne ne pouvait soupçonner que le vieux avait l'habitude de s'enfermer chez lui pour regarder des images dépravées et se masturber à l'aide de ce truc.

— Qui nous dit qu'il regardait de la pornographie ? observa Marcus, qui ne voulait pas l'accepter.

— Tu as raison, admit Erriaga.

Personne ne pouvait le confirmer, étant donné que le corps avait été retrouvé après le début du black-out.

— Mais, dans le fond, quelle différence cela fait-il ? Gorda aurait dû mourir en martyre, or il est mort comme un chien.

Il prononça cette dernière phrase d'une voix sombre, accusatrice.

Exactement comme quand, au Tribunal des âmes, il concluait son réquisitoire contre un pécheur. Il avait la capacité de conditionner le jugement final avec la seule inflexion de sa voix.

Marcus n'intervint pas, il ne demanda rien. L'histoire était déjà assez absurde en soi.

Le cardinal s'approcha de la grande cheminée et s'y appuya d'une main. Le feu dessinait des ombres sur son visage.

— Gorda ne sortait plus depuis des années. Il était agoraphobe. Maintenant, le monde va vouloir connaître la vérité sur sa mort.

— Pourquoi nous ? Pourquoi moi ? demanda Marcus.

Avec n'importe qui d'autre, Battista Erriaga aurait balayé avec irritation cette demande d'explications. On ne discutait pas ses ordres, on les exécutait, point final. Mais Marcus n'était pas un subalterne normal. C'était un prêtre dangereux. Il avait été formé pour chasser le mal. Il aurait dû célébrer l'office comme un simple curé, mais on lui avait assigné la plus ardue des missions : connaître et contraster la véritable nature de l'homme.

Avec le temps, un peu de la brume ombrageuse où il avait l'habitude d'enquêter lui avait collé à la peau. Erriaga le sentait à son regard immobile, à ses yeux caverneux qui scrutaient sans cesse ce qui se trouvait autour de lui. Le but de Marcus, dernier membre de l'ordre des Pénitenciers, était de rétablir le bien. Souvent, il y réussissait. Mais sa soif de justice pouvait cacher une angoisse de vengeance. Le cardinal n'était pas disposé à expérimenter le fondement de sa propre crainte, pourtant il dit :

— La mort d'Arturo Gorda risque d'obscurcir la noblesse de son œuvre. Et ce seront les pauvres qui en paieront le prix, ce qui serait injuste.

Il espéra que cette explication suffise à calmer la curiosité du pénitencier. Il ne pouvait pas lui dire que les raisons étaient autres, que quelque chose cette nuit-là avait fait naître en lui une obscure intuition. La prophétie de Léon X, se répéta-t-il, le regard perdu dans le feu de la cheminée. Tout être humain est un pécheur. Chaque péché est aussi un secret. Il est juste que certaines fautes meurent avec nous. Mais, souvent, la mort est impudique et se plaît à nous faire honte. Et à salir irrémédiablement ce que nous avons été de notre vivant.

Marcus savait que le discours du cardinal s'adressait également à lui : un prêtre qui conservait la photo d'une femme sous son oreiller.

— Que voulez-vous que je fasse ? demanda-t-il.

Erriaga le regarda fixement.

— Le ménage.

5

Les ordinateurs émettaient un léger ronronnement, qui évoquait celui d'un essaim d'abeilles.

Dans la pénombre, les téléphones sonnaient. Les postes de travail, éclairés par des lampes réglables à led, ressemblaient à de petites oasis de lumière. Une vague odeur d'ammoniaque filtrait du système de climatisation et, dans un coin, un distributeur d'eau maintenait le liquide à une température constante – jamais trop froide.

Vitali trouvait rassurant de dresser la liste de ces petites sensations. On ne prête jamais assez attention aux détails, pensait-il. Sauf quand ils disparaissent du tableau d'ensemble, nous laissant un sentiment de manque et d'incertitude. Or à cet instant précis, dehors, les gens perdaient leurs points de repère. Tout cela avait un goût de fin du monde.

Qu'allait-il se passer le lendemain, quand Rome se réveillerait de cette expérience cauchemardesque ? Personne ne pouvait le dire. Vitali trouvait cela assez amusant.

La salle d'opérations de l'unité de crise de la police était située dans un bunker à quelques pas du ministère de l'Intérieur, en plein centre-ville. Des générateurs puissants lui garantissaient une autonomie totale. En hommage à Maigret, on lui avait donné comme nom de code « la fourmilière ».

Vitali trouvait ce nom approprié. Environ quatre-vingts personnes y travaillaient, en cet instant. Malgré le va-et-vient continu, il n'y avait aucune frénésie. Tout se déroulait avec calme. Personne ne parlait fort et chacun donnait l'impression de savoir exactement quoi faire.

Vitali, en costume gris clair, mocassins marron et chemise bleu ciel, caressa son nœud de cravate bleu pour s'assurer qu'il fût bien en place. Puis il but une gorgée de son verre d'eau fraîche, observant le grand mur d'écrans devant lui.

Plus d'une centaine, où s'alternaient les images des quelque trois mille caméras disposées dans la ville.

Un groupe d'agents munis de dossiers et d'oreillettes prenait note de tout ce qui semblait suspect, avec l'intention d'enregistrer ou de prévenir le crime. Le travail était minutieux, demandait beaucoup de patience mais, étant donné les circonstances, était plus que nécessaire. Jusque-là, seuls quelques cas sans gravité avaient impliqué l'intervention des patrouilles. Une rixe entre des clients d'un supermarché qui voulaient s'emparer de denrées alimentaires avant la fermeture forcée, quelques toxicomanes qui n'avaient pas résisté à la tentation de braquer une pharmacie en plein jour.

La véritable horde s'abattrait dans les rues avec l'obscurité.

Vitali le savait : malgré le discours rassurant des autorités, cette nuit serait chaotique. Avec la garantie d'invisibilité, les chacals étaient prêts à prendre d'assaut les magasins et bureaux sans surveillance. De même pour les vandales qui pourraient tranquillement s'emparer des biens d'autrui. Pour couronner le tout, il régnait dans la ville un climat de règlement de comptes. Les bandes de rues se préparaient à la guerre contre les groupes rivaux et la criminalité organisée allait en profiter pour rediscuter les relations et les alliances, et pour faire un peu de ménage dans leurs rangs. Depuis l'aube, Vitali avait perçu des signaux de ce qui menaçait Rome, avec l'aide de l'obscurité.

Mais il y avait aussi toute une série de crimes imprévisibles. L'anarchie allait rendre les gens fous. Des gens au-delà de tout soupçon avaient décidé de déterrer la rancœur ou la rage accumulées au fil des ans. Des voisins qui ne s'étaient jamais supportés. Des maris qui voulaient se débarrasser de leur femme. Des femmes qui voulaient tuer leur mari. Des employés qui comptaient rendre visite à leur patron, chez lui.

L'histoire du drap accroché à la fenêtre pour demander de l'aide était un sacré bobard. Personne ne serait en sécurité. Tous les psychopathes de la ville étaient en train de s'armer pour consommer leur vengeance ou, tout simplement, laisser libre cours à un instinct enfoui pendant des années.

Personne ne voulait l'admettre, mais il était impossible de surveiller efficacement une métropole de la taille de Rome.

Bien qu'ayant fait appel à des renforts venant d'autres régions du pays, les policiers patrouillant dans les rues étaient trop peu nombreux, par rapport à la foule des malintentionnés. De plus, ils n'étaient pas tous équipés pour répondre à des assauts organisés ou à des révoltes, ni à des crimes violents. Et les carabiniers n'étaient pas mieux lotis. Le plan de sûreté avait été mis en place avec un préavis de quelques heures. La plupart des agents n'étaient pas destinés à protéger la population mais les ministres, les bâtiments officiels et les ambassades, autant de cibles possibles pour les terroristes de la dernière heure. Des politiciens et des hauts dirigeants de l'État avaient été évacués en grand secret avec leur famille durant la nuit à l'aide de convois spéciaux, au nez et à la barbe des citoyens ordinaires, qui ne pouvaient quitter la ville.

Ce que personne n'avait dit à la population, réfléchit Vitali, c'était que la merde qui leur tombait dessus était en réalité bien plus grosse et puante que ce qu'on laissait entendre. Un certain nombre de citoyens ne verraient pas le jour se lever le lendemain.

Bien que le ministre ait préparé de longue date un plan détaillé pour affronter ce type d'urgence, la technologie impliquée n'avait jamais été testée sur le terrain. Le système présentait de grosses failles et la combinaison « événement météorologique *plus* black-out » le mettait dramatiquement en évidence. Par exemple, personne n'était en mesure d'estimer la durée des puissantes batteries qui alimentaient le réseau de caméras de surveillance inauguré quelques mois auparavant, qui avait coûté plusieurs dizaines de millions en impôts locaux. C'était toujours la même histoire. Un problème n'arrivait jamais seul.

Pour cette raison, à ce moment précis, Vitali était heureux.

Satisfait de l'ordre qui régnait dans cette salle. Satisfait des fourmis besogneuses qui accomplissaient diligemment leur tâche. Satisfait du pistolet qu'il portait sous sa veste parce que, en tant que représentant de la loi, il était autorisé à s'en servir pour faire respecter les règles. Satisfait de l'eau fraîche dans son verre, symbole souvent négligé de pureté et de propreté. Deux valeurs auxquelles il était très attaché.

Avec de nombreux autres collègues, Vitali avait été appelé « en service continu », une façon aimable de dire qu'il avait été réquisitionné. De toute façon, il n'avait rien de mieux à faire. Il venait de commencer une relation et il ne lui aurait certes pas déplu de s'enfermer chez lui avec sa nouvelle conquête et quelques grammes de coke. Mais cette lâche devait rester avec ses enfants et son mari. Le côté négatif de l'apocalypse était que, si elle advenait, il devrait l'affronter seul.

Ainsi l'inspecteur Vitali, du bureau des statistiques sur le crime et la criminalité, était entièrement disponible.

Ses qualifications évoluaient avec une rapidité surprenante. On le changeait de poste en moyenne tous les six mois. Il s'était occupé du décorum officiel, du parc automobile de la police, de la revue interne. Pendant une période – *mon Dieu !* – on l'avait même envoyé dans les écoles parler aux élèves des effets ravageurs de la drogue. Des fonctions que tout agent normal aurait préféré éviter, généralement réservées aux casse-pieds, à ceux qui avaient fait les frais d'une mesure disciplinaire ou qui avaient manqué de sang-froid durant le service, par exemple, en sortant leur arme devant des jeunes gens pris en flagrant délit de faire le mur. Toutefois, Vitali s'en contentait. Qu'on le prenne donc pour un incapable ou un bon à rien. Jusque-là, sa couverture avait parfaitement fonctionné.

Personne ne devait savoir de quoi s'occupait réellement l'inspecteur Vitali.

Une petite délégation traversa la fourmilière : le commissaire Crespi, des homicides, le préfet de police Alberti et le grand chef en personne, le préfet De Giorgi. Vitali intercepta son regard et l'autre lui fit un signe entendu. Avant de les suivre, il but une dernière gorgée d'eau puis jeta son verre en carton dans la poubelle prévue à cet effet afin que le chaos, au moins dans la fourmilière, ne prenne pas le dessus. Il aperçut la femme qui accompagnait ses supérieurs.

Il ne l'avait jamais rencontrée, pourtant il la reconnut immédiatement.

Sandra Vega marchait derrière les autres. En partie par crainte des autorités qui la précédaient, en partie parce qu'elle se demandait ce qu'elle faisait à la fourmilière. À l'aube, une patrouille s'était présentée chez elle, à Trastevere. Deux jeunes collègues lui avaient annoncé qu'ils étaient venus la chercher.

Sandra venait de terminer son petit déjeuner et portait son uniforme, prête à aller travailler. Cette scène lui avait semblé tout droit sortie d'un passé qu'elle essayait péniblement d'oublier. Après des années de service dans l'équipe des enquêteurs photo de la police scientifique, elle avait réussi à se faire muter au bureau des passeports. C'était un choix déterminé. Elle n'en pouvait plus de sa vie d'avant : être la première sur une scène de crime à passer au crible les lieux, les indices, les preuves et les corps inanimés avec son appareil photo. À la longue, c'était usant.

Après l'affaire du monstre de Rome, elle avait décidé qu'elle en avait assez.

Les passeports constituaient un excellent refuge. Des gens qui partaient – des hommes d'affaires, des jeunes époux en voyage de noces, des vacanciers. Des gens qui arrivaient – des étrangers qui, après des années en Italie, obtenaient enfin la nationalité pour eux et leurs enfants. Elle voyait défiler les vies de ces individus, innocentes. Ils n'avaient pas le pouvoir de lui faire du mal, comme les images des corps mutilés. Ils arrivaient à elle avec leurs photos d'identité, où selon la loi ils devaient poser avec un air sérieux. Mais ensuite, quand ils avaient achevé la procédure bureaucratique, elle les voyait partir en souriant, pensant à ce qui les attendait. L'avenir. Même si c'était idiot, Sandra le savait bien : les morts n'avaient pas d'avenir. Ce banal constat était la raison pour laquelle elle trouvait la force de se lever chaque jour. Y compris ce matin-là. À cause du black-out, elle avait été déchargée de ses tâches habituelles et, comme de nombreux collègues de son bureau, réassignée temporairement au service actif. Pourtant, Sandra n'imaginait pas qu'elle serait escortée jusqu'au travail. Quand on lui avait nommé la fourmilière, elle aurait dû avoir des soupçons. Qu'irait-elle faire dans une salle d'opérations ? Le pressentiment que l'affaire était sérieuse s'était transformé en certitude quand elle avait été accueillie par le commissaire Crespi.

Son ancien supérieur était agité.

— Le chef veut te voir.

Sandra suivait maintenant docilement la délégation, qui traversa la salle d'opérations jusqu'à un bureau.

Le chef de la police De Giorgi s'arrêta sur le seuil et attendit que tout le monde entre, puis referma la porte.

— Bien, dit-il. Il me semble que nous pouvons commencer.

Sandra connaissait tout le monde, sauf le dandy aux horribles mocassins qui s'assurait de façon obsessionnelle que son nœud de cravate soit bien en place.

Tout le monde prit place sur les chaises en acier qui faisaient partie de l'ameublement spartiate de la pièce. De Giorgi alla s'asseoir derrière un petit bureau. Les murs étaient nus et sur la table il n'y avait que deux téléphones, reliés à un clavier complexe. Le chef posa ses bras sur le plan de travail avant de les relever, horrifié, et de souffler sur la poussière qui en recouvrait la surface.

— J'ai été contraint de quitter mon bureau pour intervenir dans ce trou, mais de toute évidence on a oublié de le nettoyer.

Sandra s'installa sur la chaise la plus distante, collée au mur, se demandant à nouveau ce qu'elle faisait dans cette réunion de gros bonnets. Le dandy au nez aquilin était la présence la plus inquiétante. Il était assis les jambes croisées, rasé de près, son costume gris clair parfaitement repassé. Son épingle à cravate en or était aussi voyante que le gros rubis qu'il portait au majeur gauche. Qui diable était-il?

— Le ministre me prie de vous présenter ses salutations, débuta le chef de la police – tout le monde acquiesça pour remercier, comme si le ministre était là. Il suivra l'évolution de la situation depuis sa villa en Toscane.

Ils étaient tellement habitués à être obséquieux, remarqua Sandra, qu'ils en oubliaient à quel point ils étaient ridicules.

— J'ai personnellement informé le ministre tout récemment, tint à intervenir le préfet de police Alberti. La situation est grosso modo sous contrôle. Les hommes sont entraînés, ils contiennent la panique et affrontent brillamment les tentatives sporadiques de profiter du black-out pour perpétrer des actes criminels.

— Très bien, s'enthousiasma le chef de la police. Jusqu'ici nous avons fait un excellent travail. Il faut continuer comme ça.

Regarde-moi ces deux têtes de nœud, pensa Vitali. Ils se félicitaient réciproquement tandis que tout se déchaînait dehors. Il regarda la policière et, à son expression, comprit qu'elle ressentait le même dégoût. Vitali avait demandé à ce qu'une autre femme assiste à la réunion, pour qu'elle ne se sente pas en minorité, mais le chef de la police n'avait pas donné suite.

Le commissaire Crespi se pencha vers Sandra.

— Comment vas-tu ? lui demanda-t-il à voix basse.

Son supérieur avait appuyé sa décision de tout laisser tomber, il s'était toujours montré gentil et elle l'appréciait.

— Mieux, le rassura-t-elle.

Simplement répondre qu'elle allait bien aurait été une phrase de circonstance, dont Crespi ne se serait pas contenté. Autant lui dire une partie de la vérité, à savoir qu'elle n'était pas encore en pleine forme, mais qu'elle y travaillait.

Ce bref échange n'échappa pas à Vitali. Il s'était renseigné sur Sandra Vega. Autrefois, elle était considérée comme une excellente enquêtrice photo. Mais deux deuils avaient marqué, peut-être irrémédiablement, sa jeune existence. Son mari reporter était décédé dans des circonstances mystérieuses des années auparavant. Sandra avait emménagé à Rome pour enquêter sur sa mort. Et elle y était restée, elle avait essayé de se refaire une vie avec un autre. Elle n'avait pas eu de chance : son compagnon avait été assassiné. De quoi faire une longue psychanalyse, voire prendre des psychotropes.

— Vous connaissez déjà la raison pour laquelle je vous ai tous convoqués ici, annonça le chef, interrompant les préambules.

— Mais il faudra le répéter pour l'agent Vega, déclara Vitali.

— Vous ne connaissez sans doute pas encore l'inspecteur Vitali. C'est le chef du bureau des statistiques sur le crime et la criminalité.

— Je ne savais même pas que ce bureau existait, monsieur, admit Sandra.

En effet, songea Vitali en souriant. Il avait été créé une heure auparavant, moment où lui-même en avait pris la tête.

— Les hommes de l'inspecteur Vitali s'occupent de la prévention des crimes.

— Vous devriez venir à un de nos séminaires, agent Vega, affirma l'inspecteur. Vous trouveriez ça très instructif.

Vitali adorait quand, dans ce genre de circonstances, le chef de la police tentait de justifier sa couverture.

— Inspecteur, voulez-vous s'il vous plaît exposer les faits à l'agent Vega ?

Vitali se leva, se dirigea vers la policière et se campa devant elle.

— Hier soir, plus ou moins vers 22 h 30, un chauffeur de taxi nettoyait sa voiture après avoir terminé son service. Par la suite, il nous a raconté qu'il le fait toujours parce que, je cite, « on ne sait jamais ce que fabriquent les clients derrière, quand je ne peux pas les voir ».

Il sourit, mais très vite une grimace se forma sur son visage. Sandra ne comprenait pas où il voulait en venir, pour l'instant elle se contentait d'écouter.

— Bien, poursuivit Vitali. Hier soir, quand il a découvert un téléphone portable coincé dans la banquette arrière, il a pensé qu'un client l'avait perdu. Alors il l'a allumé, pour voir s'il pouvait remonter au propriétaire grâce à la liste des derniers appels.

Vitali glissa une main dans la poche de sa veste et en sortit un vieux Nokia, un modèle ancien, comparé à tous les smartphones. Il était rangé dans une enveloppe transparente pour pièces à conviction. Il le posa sur le bureau du chef de la police et fit signe à Sandra d'approcher sa chaise de façon à bien le voir.

— L'appareil ne contient pas de carte Sim. Il n'y a aucun numéro en mémoire. Il n'y a ni appels sortants ni appels reçus.

— Et alors ? demanda la policière, impatiente.

Vitali prit tout son temps.

— C'est un des premiers modèles dotés de caméra. En effet, en ouvrant le dossier des images, le chauffeur est tombé sur un film… d'une cruauté inédite.

La brève pause qu'il marqua avant de finir sa phrase plongea Sandra dans l'angoisse. Elle tenta de ne rien laisser paraître. Elle voulait se montrer forte, parce qu'elle détestait révéler à quel point elle était devenue faible, ces derniers temps.

— Que voulez-vous que je fasse ? demanda-t-elle d'une voix ferme, en se mordant la lèvre.

Le commissaire Crespi s'approcha et lui posa une main sur l'épaule.

— Quand le préfet de police De Giorgi m'a demandé ce matin qui était le meilleur agent que nous ayons jamais eu dans l'équipe des enquêteurs photo, j'ai tout de suite pensé à toi.

Cela ne s'était pas exactement passé ainsi, se dit Vitali. Mais il était d'accord pour que le vieux commissaire la flatte un peu, si cela permettait d'atteindre leur but.

Ils voulaient *expressément* Sandra Vega.

— Je ne fais plus partie de l'équipe, se plaignit-elle comme pour rappeler que cette partie de sa vie était un chapitre achevé – Crespi aurait dû le savoir, plus que n'importe qui d'autre. Quelqu'un est mort, n'est-ce pas ? ajouta-t-elle en jetant un coup d'œil au portable posé sur la table, comme si cet engin en plastique noir, en apparence inanimé, pouvait l'agresser. C'est pour cela que vous êtes ici, vous aussi. Sans cela, pourquoi impliquer les homicides…

Crespi acquiesça en silence.

— Pendant des années, vous avez fait partie de l'équipe des enquêteurs photo de la police scientifique, lui dit Vitali. Avec votre Reflex, vous avez pourchassé les détails sur les scènes de crime. Plus que quiconque, vous êtes en mesure de lire et d'interpréter l'œuvre d'un monstre. Un individu qui éprouve du plaisir à immortaliser ses gestes et la souffrance de ses victimes dans une vidéo.

Avait-il vraiment dit « œuvre » ? Sandra frissonna. Non, elle ne voulait rien avoir à faire avec tout ça.

— Écoutez, agent Vega, intervint le préfet de police Alberti. Nous savons à quel point il pourrait être douloureux pour vous de rouvrir de vieilles blessures. Néanmoins, nous vous demandons un effort pour le bien-être de la collectivité. Nous courons un grave danger et nous ne pouvons le sous-estimer.

Ils ne pouvaient pas le lui ordonner, toutefois ils en appelaient à son sens du devoir. Mais peu importait à Sandra. Ils pouvaient bien penser qu'elle se planquait au bureau des passeports pour conserver un salaire et un droit à la retraite. De son point de vue à elle, ce n'étaient pas simplement des privilèges. Certains collègues achevaient leur carrière sans subir aucune conséquence. Elle, elle avait payé un prix très élevé pour l'uniforme qu'elle portait.

— Je suis désolée, dit-elle en se levant. Vous ne pouvez pas me demander ça. Je ne peux pas.

Elle se dirigea vers la porte avec l'intention de laisser cette histoire derrière elle.

Vitali la rappela.

— Agent Vega, je respecte votre décision, mais permettez-moi de vous dire une dernière chose. Ce téléphone n'a pas été « oublié » dans ce taxi. Quelqu'un l'a laissé exprès. Il savait qu'il serait retrouvé et qu'il finirait ici, dans cette pièce. Parce que ce qu'il contient, que cela nous plaise ou non, est un message. Et c'est un message simple… Il y a un être humain, dehors, capable de faire des choses indicibles à ses semblables. Il veut nous faire savoir qu'il est fort, puissant, et que rien ne l'arrêtera… Ne commettez pas l'erreur de penser qu'il s'agit uniquement d'un avertissement ou d'une menace. C'est une déclaration d'intention. Il veut nous dire : ceci n'est que le début.

Sandra se retourna.

— Le début de quoi ?

Elle était épouvantée.

— Nous ne le savons pas mais, franchement, je ne m'attends à rien de bon, dans les prochaines heures.

— Vous avez toute la technologie, les ressources et les compétences pour le capturer.

— C'est vrai, mais il nous manque une chose… Le temps.

Vitali pensa à l'alerte météo, au black-out et à tous les monstres de la ville qui attendaient l'arrivée de la nuit pour se déchaîner. Il devait la convaincre à tout prix.

— Avec tout ce qui se passe nous n'avons pas le temps de le traquer comme il se doit. Et il le sait.

Sandra hésita.

Vitali comprit qu'il avait secoué un peu son sens du devoir.

— Je vous demande seulement de jeter un coup d'œil au film. Ensuite, si vous ne vous sentez pas de nous fournir une analyse, nous le comprendrons et vous pourrez tout oublier.

Oublier ? Ce salaud ne savait-il pas que ces images finiraient dans ses pires cauchemars ? Bien sûr qu'il le savait, mais peu lui importait. Comme à tous les présents, d'ailleurs. Ils voulaient se servir d'elle, l'utiliser. Sandra passa en revue leurs regards muets et comprit qu'elle avait raison. Elle les méprisa. Ce qui constituait une raison de plus pour partir de là tant qu'il était encore temps.

— Malheureusement, ce portable ne suffit pas à nous conduire à l'homme que nous cherchons, poursuivit Vitali alors que Sandra s'apprêtait à se diriger à nouveau vers la sortie. Dessus, il n'y avait que les empreintes du chauffeur de taxi et une minuscule tache de sang. Nous n'avons rien trouvé dans la base ADN. Il ne s'agit donc pas d'un criminel connu. Nous avons affaire à une figure criminelle totalement nouvelle, différente de celles que nous connaissons. Bien plus perverse et dangereuse. La seule chose que nous savons, c'est qu'il souffre d'un trouble commun à des milliers de personnes, parce que selon la police scientifique, le sang qui figure sur le téléphone est du sang d'épistaxis. Il saigne du nez.

Sandra s'arrêta net. Ses jambes tremblèrent et elle pria pour que personne dans la pièce ne s'en aperçoive. C'était une pensée irrationnelle. Combien de chances y avait-il pour que Vitali parle de la même personne ? Pourtant, quelque chose lui disait qu'elle n'avait plus le droit de laisser tomber.

Marcus – *son* Marcus.

Vitali perçut un très léger changement dans l'expression de Sandra et, avant même qu'elle ne parle, il comprit qu'elle avait changé d'avis.

— D'accord, dit la policière en tentant de rester calme. Je m'occuperai de ça, mais uniquement de ça.

Tout le monde sembla satisfait. Ils n'imaginaient pas qu'elle agissait à cause d'un intérêt personnel soudain.

— J'ai besoin de visionner le matériel sur un support approprié.

— Nous mettrons à votre disposition les ressources nécessaires, dit le chef de la police pour la rassurer.

Tandis que son supérieur parlait, Sandra observa le portable sur la table. Désormais, la vue de l'objet, que jusque-là elle avait tenté de fuir, ne lui faisait plus peur. Elle *devait* savoir.

Vitali était satisfait : il avait atteint son but. *Je ne suis pas réellement celui que je prétends être*, pensa-t-il. *Mais toi aussi, agent Vega, tu as un secret à cacher. Et je le découvrirai.*

6

Au Vatican, le Palais apostolique avait été évacué. Le cardinal Erriaga avait donné des dispositions précises dans ce sens. Personne ne devait y accéder, sous aucun prétexte, jusqu'à nouvel ordre. Cela était facilité par le fait que, pour des raisons de sécurité liées au mauvais temps et au black-out, le souverain pontife avait été éloigné de Rome la veille au soir et qu'il se trouvait maintenant dans sa résidence de Castel Gandolfo.

Marcus disposait d'une heure pour mener à bien sa mission. Cette fois aucune enquête, Erriaga avait été clair.

« Que voulez-vous que je fasse ?

— Le ménage. »

Après l'impalpable passage du pénitencier, la gendarmerie prendrait possession des lieux. À partir de là, l'enquête officielle sur le décès de l'évêque Arturo Gorda serait lancée et se conclurait par un constat de mort naturelle. Heureusement pour Erriaga, la fin tragique de l'homme était advenue dans les murs du petit État souverain. Si cela s'était produit sur le territoire italien, le cardinal n'aurait pu empêcher le scandale.

Le communiqué officiel du Vatican, qui à la fin du black-out annoncerait au monde entier la disparition du haut prélat, offrirait une vérité édulcorée. On ferait référence à un « événement cardiaque » très générique.

Un bon mensonge, pensa Marcus en traversant la cour de San Damasco sous la pluie battante. Il monta le grand escalier en marbre jusqu'au deuxième étage. Ses pas solitaires résonnèrent dans la Loge de Raphaël, une jubilation de stucs et de frises colorées harmonieusement distribués en une architecture légère de fenêtres et de colonnes. Le pénitencier leva la tête pour profiter du spectacle des treize voûtes ornées de fresques. Il reconnut l'histoire de la Genèse, avec la création de la lumière et la séparation de la terre et des eaux. La création d'Ève, l'expulsion du paradis terrestre. Les aventures d'Isaac et de Jacob, Moïse, Salomon, pour finir avec celles du Christ. Il pensa aux privilégiés qui, au fil des siècles, avaient pu admirer cette splendeur en parcourant ce même chemin. Peu nombreux, se dit-il. Des hommes puissants qui avaient laissé un signe indélébile dans l'histoire. Certains d'entre eux étaient abjects, indignes. D'autres, de véritables saints.

Et maintenant, lui. L'« homme de ménage ».

Il arriva devant la porte de l'appartement réservé à l'évêque Gorda. Elle avait été fermée après la découverte du cadavre. Erriaga avait confié à Marcus la seule clé pour y accéder. Le pénitencier l'utilisa pour ouvrir et entra en refermant derrière lui.

La première pièce était un couloir de dégagement. Il sortit de sa poche une paire de gants en latex, qu'il enfila pour ne pas laisser d'empreintes. Pour la même raison, il retira ses chaussures en toile blanche pleines de boue. Puis il alla explorer les lieux.

Le haut prélat vivait simplement. Le mobilier était sobre et essentiel. Aucun luxe, aucune concession à la mondanité. Seule exception, les livres. Il y avait des étagères croulant sous les volumes, d'autres étaient entassés dans les coins. Ils constituaient probablement le principal passe-temps de Gorda qui, à cause de son agoraphobie, ne sortait plus depuis des années.

Les livres formaient une sorte de parcours obligé. Marcus le suivit et se retrouva dans une chambre meublée d'un lit à une place, surmonté d'un crucifix en bois. Une petite porte cachée dans le mur conduisait à une salle de bains sans fenêtre. À côté se trouvait le bureau de l'évêque.

Il franchit le seuil et se retrouva devant la tragédie de ce corps inanimé, recroquevillé sur le sol, comme s'il s'était écroulé.

Ce qu'on ne devinait pas sur les Polaroid que lui avait montrés Erriaga, c'était que le cadavre se trouvait face à un petit autel mural où, comme tout bon prêtre, Gorda célébrait sa messe quotidienne.

Sa posture et sa nudité révélaient donc quelque chose de blasphématoire. Toutefois, cet affront à Dieu lui avait coûté cher. Le viseur, comme un masque grotesque, lui couvrait les yeux et lui enveloppait le crâne jusqu'à la nuque. Cet élément technologique détonnait avec l'ambiance. Il n'y avait ni télévision ni ordinateur, dans la clôture de Gorda. L'évêque avait fait une exception pour assouvir sa perversion secrète.

Des images pornographiques, repensa Marcus.

Sous l'espèce de casque argenté pointaient des mèches de cheveux blancs. L'engin était relié au collier en cuir par un petit câble noir. Le pénitencier s'approcha et constata que sur la gorge, à l'endroit du contact avec les coutures, la peau fine du vieux était griffée. *Il a utilisé ses mains pour essayer de se dégager de l'étreinte.* Les résidus de sang sous ses ongles le confirmaient.

Étranglement mécanique, en conclut-il.

Pendant un instant, Marcus se sentit suffoquer. C'étaient les échos de la sensation d'étouffement vécue dans le Tullianum. Gorda avait expérimenté la même chose, mais par choix.

« Il paraît que c'est une pratique d'autoérotisme bondage, avait dit Erriaga. Il semblerait que certains individus ressentent du plaisir à se faire étrangler. » Marcus se demanda quand, pour Arturo Gorda, le plaisir s'était transformé en souffrance, puis en conscience de la mort. L'évêque avait-il au moins eu le temps de réciter une prière ? Ou bien, comme avait soutenu le cardinal, était-il vraiment mort « comme un chien », prisonnier de son piège ?

Le collier du plaisir.

Gorda avait été retrouvé dans cet état par la sœur qui avait pour mission de lui apporter une tasse de chicorée vers 8 heures. La religieuse s'était enfuie, terrifiée, et avait prévenu les gendarmes. À cause de ce qu'elle avait vu, la pauvre fille serait transférée dans un couvent perdu en Afrique, où elle passerait le restant de ses jours. Les gendarmes seraient généreusement récompensés – et menacés – pour leur silence. Marcus connaissait bien les méthodes d'Erriaga pour prévenir les hémorragies médiatiques.

Autour du cadavre, il n'y avait aucune trace de l'intervention de tierces personnes, ce qui appuyait la thèse de la mort accidentelle. Non loin du corps se trouvait une boîte noire doublée de velours où l'évêque rangeait le dispositif qui l'avait tué.

C'était un objet coûteux et élégant, considéra Marcus. Le paladin des pauvres savait se gâter.

Mais il n'était pas là pour juger. Son devoir était de faire disparaître les traces d'une fin indigne qui aurait pu créer des problèmes au Vatican. Il n'aimait pas ce qu'il s'apprêtait à faire, même s'il était convaincu que c'était la meilleure solution. L'Église était forte, mais les hommes qui la servaient pouvaient être faibles. Et lui-même ne faisait pas exception.

Il chassa ces pensées. Le moment était venu de se mettre au travail. Plus tôt il finissait, plus tôt il pourrait retourner à l'enquête qu'il avait laissée en suspens. Découvrir ce qui lui était arrivé cette nuit. Pourquoi il s'était retrouvé nu et menotté au fond du Tullianum. Et, surtout, *qui* le détestait au point d'avoir décidé de le tuer de façon si cruelle, en le laissant mourir de faim.

Trouve Tobia Frai.

Il commença par desserrer le collier. Le cuir était doublé d'alcantara, pour ne pas laisser de bleus ni de traces. Le mécanisme était très simple, mais Gorda n'avait pas réussi à s'en libérer. Ou alors il n'en avait pas eu le temps. Peut-être que l'étouffement lui avait provoqué un infarctus, fatal en quelques secondes. Marcus le savait, il n'existait jamais de raison univoque à la mort, mais généralement un ensemble de causes. Sa seule certitude était que quelque chose s'était mal passé. Il exclut un dysfonctionnement de la machine – ce genre d'appareils avaient toujours un dispositif de sécurité. De façon bien plus banale, l'évêque avait couru un risque trop important pour son âge.

Marcus mit le corps sur le dos. Il l'observa et s'aperçut que le prélat avait un tatouage à l'intérieur de la cuisse droite.

Un petit cercle bleu.

La couleur était passée, ne laissant qu'une auréole, signe qu'il remontait à des années auparavant. Peut-être un petit geste de rébellion durant sa jeunesse, pensa le pénitencier. Il était probable qu'il soit le seul étranger à connaître ce détail, dont l'évêque aurait pu avoir honte. La mort est peu respectueuse des pudeurs humaines. Dans le cas de Gorda, elle s'en moquait carrément.

Marcus devait encore lui retirer le viseur. Il l'avait volontairement laissé pour la fin, parce qu'il nourrissait la crainte irrationnelle de croiser le regard effrayé de l'évêque sous son masque. D'abord, il ouvrit les fermetures automatiques, une par une. Puis il retira lentement le casque. Les orbites avaient quasiment expulsé les globes oculaires, comme souvent dans les morts par strangulation. Marcus prit son courage à deux mains et, avec deux doigts, il les repoussa jusqu'à ce qu'ils retrouvent leur position d'origine. Puis il lui baissa les paupières. Il allait réciter une prière pour l'âme de ce pêcheur quand son attention fut attirée par le viseur qui gisait par terre.

Il constata que l'écran était encore allumé.

Alors il le prit et l'approcha de son visage. Il n'y avait rien de pornographique dans l'image projetée. C'était une simple inscription.

Absence de signal.

Le viseur était connecté à Internet. L'évêque était en train de l'utiliser quand le black-out avait débuté, aussi il était normal qu'il n'y ait plus de connexion. Il en était peut-être mieux ainsi. Il n'avait pas envie de connaître les détails troubles de l'existence de Gorda. Mieux valait qu'ils meurent avec lui, pensa-t-il.

Il se concentra sur ce qu'il lui restait à faire. Il rangea l'appareil dans la boîte noire doublée de velours. Il l'emporterait avec lui et l'objet disparaîtrait pour toujours.

Puis il fouilla l'appartement à la recherche d'éléments compromettants. Il regarda dans les tiroirs et vida l'armoire de la salle de bains. Il feuilleta même quelques livres. Il n'avait pas le temps de procéder à une perquisition soignée, Erriaga devrait s'en contenter.

Il ne restait qu'un détail pour compléter la mise en scène : revêtir le cadavre.

Il se dirigea vers l'armoire de l'évêque en quête d'un habit approprié. Il l'ouvrit et, en fouillant, découvrit un vieux journal jauni.

C'était un exemplaire du *Messaggero*, le journal de Rome, datant du 23 mai, neuf ans auparavant.

Il fallait peut-être le faire disparaître également. Pour s'en assurer, il entreprit de le parcourir, mais rien n'attira son attention. Rien de suspect ou de compromettant. Jusqu'à ce qu'il arrive à la section des faits divers locaux. Il repéra immédiatement un titre : *Disparition du petit Tobia Frai à Rome*.

Ce fut comme un éclair dans sa tête. Le pénitencier revit la note qu'il avait retrouvée dans sa poche au Tullianum : *Trouve Tobia Frai*.

Il ne pouvait s'agir d'une coïncidence.

Dans le journal figurait la photo en noir et blanc d'un enfant de trois ans. Grands yeux limpides, visage souriant couvert de taches de rousseur. Il portait un tee-shirt clair et une casquette à l'emblème de l'équipe de la Roma.

Marcus lut.

Tobia Frai a disparu hier soir vers 18 heures en plein centre, à quelques pas du Colisée. Le petit garçon se promenait avec sa mère, qui soutient ne l'avoir perdu de vue que quelques secondes. En effet, la femme a immédiatement signalé les faits à une patrouille qui transitait sur les lieux. La police, qui au début a supposé que l'enfant s'était éloigné et perdu, n'exclut plus aucune hypothèse. Les films des caméras de sécurité de la zone seront visionnés. En même temps, pour tenter de faire la lumière sur le destin du petit Tobia, les autorités demandent de l'aide aux touristes et aux citoyens qui se trouvaient dans les parages au moment de la disparition. Quiconque était en train de photographier ou de filmer le Colisée est prié d'envoyer le matériel à l'adresse e-mail de la préfecture de police de Rome.

Marcus, incrédule, tenait le journal devant son visage. Quand il le baissa, il s'aperçut qu'il y avait autre chose au fond du meuble. Une alarme se déclencha dans sa tête. Anomalie, se dit-il.

Une paire de chaussures en toile blanche. Identiques aux siennes.

7

5 heures et 38 minutes avant le coucher du soleil

La vidéo retrouvée dans le téléphone oublié dans le taxi durait deux cent six secondes.

— Mais pour le protagoniste, cela a dû durer une éternité, dit Vitali en baissant les lumières de la salle technique de la fourmilière.

Crespi était assis à l'écart : apparemment, le commissaire avait délégué les explications à son collègue. Ce détail étrange n'échappa pas à Sandra. Dans le fond, l'inspecteur Vitali n'était qu'un bureaucrate, un rond-de-cuir. Bureau des statistiques sur le crime et la criminalité : elle restait perplexe. Pourquoi les homicides lui laissaient-ils une telle marge de liberté ? Quoi qu'il en soit, elle ne pouvait plus reculer. Elle se trouvait devant un grand écran plasma. Il était éteint mais une étrange lueur émanait de la surface noire, semblable à de l'ardoise.

— C'est un système Pro Tools dernière génération, expliqua Vitali. Les enquêteurs photo l'ont depuis à peine quelques mois. C'est très simple : il vous suffira de toucher l'écran pour arrêter, avancer ou reculer les images, ou bien pour agrandir ou réduire un photogramme.

Ce sera comme être sur place, pensa Sandra. En général elle arrivait *après*, quand le mal avait déjà été consommé. Elle pouvait se réfugier derrière son Reflex, laisser le mécanisme de l'appareil faire le sale boulot. Cette fois, en revanche, elle allait participer, bien qu'indirectement, à ce qui s'était passé.

— Vous êtes prête ? demanda l'inspecteur, craignant qu'elle ait changé d'avis.

Sandra prit encore quelques secondes et se tourna vers Crespi, qui resta impassible.

— Oui.

Vitali s'arma d'une télécommande et lança l'enregistrement.

D'abord, les images furent instables et floues. Après avoir balayé quelques secondes un sol crasseux, l'objectif de la caméra du téléphone portable se leva soudain et se fixa sur ce qui semblait être un vieux lit d'hôpital. Tout autour, du carrelage ébréché et de l'humidité.

Un homme était allongé sur le matelas sale.

Sandra se sentit soulagée quand elle constata qu'il ne s'agissait pas de Marcus. Mais cela ne dura pas : l'inconnu pleurait et se démenait, dans une pose tout sauf naturelle. Une corde l'entourait en spirales qui montaient des chevilles jusqu'aux hanches. Ses bras étaient écartés et tendus vers la tête de lit, à laquelle ses poignets étaient attachés. Il était vêtu jusqu'à la taille, mais torse nu.

Comme la victime d'un sacrifice.

— Je t'en prie… non…, suppliait-il.

Cheveux noir de jais, coupés très court. Maigre au point que, sous sa peau glabre, on apercevait les os de ses côtes. Son visage était creusé et son expression congestionnée par l'effort de soulever son cou frêle et ses épaules, dans la tentative de se libérer. Désespoir pur, pensa Sandra. Il n'y arriverait pas. Lui aussi le savait. Pourtant, un ultime instinct de survie le poussait à essayer tout de même, à se rebeller avec toute l'énergie qu'il avait dans son corps.

— Je t'en prie, laisse-moi partir...

Les veines à la hauteur de ses tempes pulsaient tellement fort qu'on imaginait qu'elles allaient éclater, inondant son visage de rouge. Une traînée de morve jaunâtre coulait de son nez jusqu'à sa lèvre, se mêlant aux larmes et à la salive.

— Que voyez-vous, agent Vega ?

— Il a le teint jaunâtre, la peau craquelée. On voit les bleus de la nécrose de ses veines. Il lui manque des dents, d'autres sont noires, aussi on pourrait lui donner environ cinquante ans. Mais en réalité il n'est pas si âgé.

Vieilli par l'abus de stupéfiants. Une vie difficile laissait toujours des signes sans équivoque.

— Expériences de drogue. Une collection de précédents. En prison et dehors.

Beaucoup l'auraient qualifié de « rebut de la société ». Combien de types dans son genre avait-elle photographiés, quand elle était dans l'équipe scientifique ? On trouvait généralement leur cadavre dans un fossé au bord de la route, au milieu des ordures, sans argent ni papiers pour les identifier. La morgue était pleine de corps anonymes.

— Parfois, c'est leur dealer qui les liquide, quand ils deviennent trop pressants. Mais le plus souvent c'est un désespéré comme eux qui les tue, pour s'emparer d'une dose et d'un peu de monnaie.

Vitali ne confirma pas, ne démentit pas. Il ne dit rien. Parce que, ensuite, quelque chose se passa à l'écran.

La personne qui filmait, qui était jusque-là restée immobile, tendit un bras. Une main gantée de latex apparut dans le champ. L'homme tenait quelque chose entre ses doigts.

Une hostie noire.

Il s'approcha du prisonnier, la lui plaça entre les lèvres et lui ferma la bouche avec la paume de sa main pour le forcer à manger. Peu après, Sandra vit le regard de la victime changer. Les yeux, qui auparavant cherchaient désespérément la pitié du geôlier, s'immobilisèrent et fixèrent le vide. L'expression de son visage se détendit. Le bourreau retira sa main et s'éloigna à nouveau.

Le prisonnier bougea les lèvres. D'abord lentement, puis de plus en plus vite. Il émettait une sorte de murmure. Une succession de syllabes qui allaient et venaient. Il déblatérait. Puis le volume de sa voix augmenta, mais les mots restèrent incompréhensibles.

— Quelle langue parle-t-il ? demanda Sandra. Je ne comprends pas. Cela ressemble à de l'hébreu, mais je ne suis pas sûre.

— C'est de l'araméen biblique, précisa Vitali. Il était utilisé en Palestine à l'époque du Christ.

Cette affirmation troubla Sandra. Comment un toxicomane pouvait-il connaître une langue parlée deux mille ans plus tôt ?

— Il dit : « Le Seigneur des ombres marchait avec moi. Il est le maître de la vérité. Il est la nouvelle vie », traduisit Vitali.

Sandra le regarda : il était sérieux.

Entre-temps, le prisonnier répétait ces phrases comme une litanie. De quoi s'agissait-il ?

Vitali savait ce qui passait par la tête de Sandra Vega. La policière se demandait pourquoi l'inspecteur chef du bureau des statistiques sur le crime et la criminalité s'intéressait à ce film et comment il pouvait savoir ce que disait le prisonnier. Mais cela n'intéressait pas Vitali. Le moment était venu de redistribuer les cartes. En un sens, le fait que Sandra nourrisse des doutes sur lui et sur sa fonction l'arrangeait.

À l'écran, la personne qui filmait posa le téléphone sur la tête de lit. L'image était désormais de travers, mais on distinguait clairement l'ombre qui se pencha sur le prisonnier et lui attrapa la mandibule d'une main pour le maintenir immobile. Puis, pour compléter le blasphème eucharistique, il commença à verser le contenu d'une coupe d'or dans la bouche grande ouverte. Pain et vin – le corps et le sang. L'autre ne s'opposait pas, il buvait, comme en transe. On entendait le son du liquide qui descendait en gargouillant dans sa gorge, comme de l'eau sale dans un lavabo. Une fois l'opération achevée, l'ombre recula sans se retourner ni montrer son visage, et reprit le téléphone pour continuer à filmer.

À présent, l'homme allongé ne parlait plus. Il avait les yeux écarquillés et le regard absent. Sandra se demanda ce qui allait se passer. Que lui avait-il fait boire ? Ce n'était pas du vin. Soudain le corps de la victime fut secoué par une puissante convulsion.

La corde et les liens qui l'attachaient semblaient ne pas pouvoir contenir cette force surhumaine. Quelque chose affleura de la peau du thorax de l'homme. Instinctivement, la policière s'approcha de l'écran pour mieux voir.

C'était de la vapeur.

Une réaction caustique se produisait dans son organisme, dont l'effet était le miasme qui jaillissait des pores de sa peau. La chair prit une couleur brunâtre, comme si elle brûlait de l'intérieur. L'expression de la victime, bien que secouée de violents spasmes musculaires, restait indifférente. Mais le spectacle n'était pas terminé. La peau fit des plis, des bulles purulentes se formèrent sur l'œsophage et la trachée. Puis ce fut le tour des poumons. Les bronches émergèrent, carbonisées. Les plis devinrent ulcères, s'ouvrirent un par un comme autant de petits trous dans la chair à vif. Pourtant, ce n'était pas du sang qui sortait des blessures mais de la fumée, semblable à du soufre.

Sandra se mit à la place du chauffeur de taxi qui avait retrouvé le téléphone avec ce film dans sa mémoire. Elle pensa à la réaction du pauvre homme quand, dans la tentative de remonter au propriétaire à travers le contenu du portable, il s'était retrouvé face à une telle horreur. Il allait être marqué à vie.

La convulsion du prisonnier cessa soudain. L'objectif s'attarda un moment sur le cadavre dévasté. Dans le silence qui suivit, seul un très léger grincement persista.

Puis le film s'arrêta.

Ce n'était pas l'œuvre d'un drogué sous cocaïne et acides, pensa Sandra. Il y avait de la méthode.

— Alors, que pouvez-vous me dire ? demanda Vitali.

La policière se tourna vers lui, le regard empreint d'hostilité.

— Que voulez-vous savoir?

— En plus de l'identité de l'assassin, il y a beaucoup de questions non résolues, agent Vega. De l'identité de la victime au lieu du crime. Nous ne savons rien.

Homicide rituel, aurait voulu sentencier Sandra. Mais elle dit :

— Une minute et vingt-sept secondes.

Puis, sans ajouter un mot, elle fit reculer les images à l'écran. Elle ralentit les photogrammes, avança lentement jusqu'à trouver l'endroit exact.

— Regardez là.

Vitali se pencha. Il vit le bras gauche de la victime, dans la tentative de se libérer du lien tendu à la tête de lit, se démembrer de façon non naturelle. Sandra posa les doigts sur l'arrêt sur image, les écarta pour agrandir.

Sur la peau de l'avant-bras, il y avait un petit tatouage.

— Un cercle bleu ciel, décrit Vitali pour confirmer qu'il l'avait vu, lui aussi.

— Vous pouvez faire analyser ce film autant de fois que vous voudrez, inspecteur. Vous n'y trouverez rien d'autre de significatif.

Sandra prononça cette phrase avec beaucoup d'assurance, en regardant aussi Crespi, qui n'avait pas ouvert la bouche et qui l'observait maintenant, de toute évidence gêné.

Vitali perçut la tension entre eux deux. C'était exactement ce qu'il voulait.

— Bien, vous pouvez prendre votre journée, agent Vega.

Sandra le regarda, incrédule.

— Et le black-out ?

— Nous ferons sans vous, sourit l'autre, moqueur.

— Comme vous voulez, inspecteur, répondit sèchement la policière.

L'hostie noire, l'araméen biblique, le « Seigneur des ombres », cette espèce de sacrifice humain : elle en avait trop vu et entendu. Elle récupéra sa veste d'uniforme sur le dossier de sa chaise, passa devant Crespi et quitta la salle sans dire au revoir.

Peu après, le vieux commissaire se leva à son tour. Il glissa ses mains dans les poches de son pantalon et s'apprêta à sortir. Mais, d'abord, il se retourna vers son collègue.

— Vous êtes vraiment sûr de ce qu'on est en train de faire ?

— Je ne vous dois aucune explication.

S'il n'avait été qu'inspecteur, Vitali n'aurait jamais pu s'adresser à un supérieur sur ce ton. Mais il n'était pas *simplement* inspecteur. Ainsi, Crespi tourna les talons et partit avec un regard de chien battu.

Mais Vitali était satisfait. Le cercle bleu, se répéta-t-il. Il était content que Sandra s'en soit aperçue. Elle était comme tout le monde le disait : très forte. Peut-être que la policière imaginait encore s'être retrouvée là en vertu de son talent d'enquêtrice photo. Sandra Vega ne savait pas que la vraie raison de sa présence ce matin-là était autre. Mais, après avoir visionné la vidéo, elle aurait sûrement des doutes.

Bien, très bien. Vitali ne la lâcherait pas tant qu'elle n'aurait pas compris son véritable rôle dans cette histoire.

Ce que Sandra ne savait pas, et que Vitali s'était bien gardé de lui révéler, c'était que dans le téléphone retrouvé par le chauffeur de taxi, en plus du terrible film, il y avait autre chose.

8

L'État du Vatican était une enclave autonome de cinq cents mètres carrés au cœur de Rome. Il était entouré de hauts murs qui, en plus de la basilique Saint-Pierre et des bâtiments officiels ecclésiastiques, cachaient de magnifiques jardins, extrêmement bien entretenus.

Pourtant, au milieu, depuis toujours, un bois d'environ deux hectares était laissé en friche. La végétation épaisse rendait le lieu quasi inaccessible. Au bout se trouvait un petit couvent de clôture. Les sœurs qui y demeuraient appartenaient à un ordre monacal ancien, quasiment éteint.

Les Veuves du Christ.

Elles n'étaient que treize et avaient embrassé une foi rigoureuse, renonçant à tout bien-être, même à la médecine. Elles se nourrissaient des produits de leur potager et avaient fait vœu de silence. Seule exception : la prière. Depuis vingt-trois ans, leur tâche principale était de surveiller un homme dont le monde extérieur ignorait l'existence.

Un monstre terrible. Un être immonde. Un tueur en série.

Ses crimes étaient une grande honte pour l'Église et devaient à tout prix rester secrets. Parce que, avant d'être enfermé et emprisonné, Cornelius Van Buren avait été un prêtre missionnaire.

Les orages avaient accordé une courte trêve. La pluie avait diminué, mais pas cessé. Marcus peinait à avancer dans le bois. Il savait qu'il était seul, mais il sentait tout de même une présence. Comme dans le Tullianum, quand il avait regardé par la trappe. Il leva les yeux. Au-dessus de lui, des centaines d'oiseaux se tenaient dans les arbres. Ils le regardaient. Le pénitencier accéléra le pas.

Non loin, il déplaça une branche et se retrouva dans la petite clairière qui protégeait le couvent. Sans la fumée qui sortait de la cheminée, l'endroit aurait semblé inhabité. Le pénitencier connaissait bien le chemin, il l'avait parcouru plusieurs fois dans les dernières années. Durant ses visites à Cornelius, il avait beaucoup appris. En effet, il était rare de rencontrer une personnalité criminelle aussi complexe et raffinée. Marcus méprisait cet homme à cause de ce qu'il avait fait quand il était missionnaire, néanmoins grâce à lui, il avait acquis une conscience très pure de l'âme humaine, non contaminée par les catégories de « bien » et de « mal ». Ces deux éléments n'avaient aucune valeur pour Van Buren. Il soutenait qu'il était un monstre non parce que c'était dans sa nature, mais parce que c'était la volonté de Dieu.

Arrivé devant la porte en bois, Marcus frappa trois fois, puis encore trois fois. C'était le signal qui lui permettait d'accéder à la prison. Une des sœurs vint lui ouvrir. Elle portait la tenue typique de l'ordre, dont la caractéristique principale était un voile noir qui lui cachait entièrement le visage.

La Veuve du Christ reconnut le pénitencier et le fit entrer. Puis, bien qu'il fît encore jour, elle prit une bougie et lui montra le chemin. Dans le couvent, la coupure générale n'avait aucune conséquence, puisque l'énergie électrique, comme tout autre progrès technologique, n'y était jamais arrivée. C'était comme remonter le temps. De plus, bien qu'étant situé à quelques dizaines de mètres des murs qui séparaient le Vatican de la vie chaotique de Rome, la paix régnait dans ce lieu.

La sœur précédait Marcus. Quand elle marchait, l'étoffe de sa longue tunique effleurait le sol en pierre, laissant entrevoir ses chaussures. C'était ainsi qu'il les reconnaissait : les chaussures étaient le seul élément qui distinguait une Veuve du Christ de ses semblables. Devant lui, il voyait avancer des bottines noires austères, lacées jusqu'aux tibias.

On ne pouvait pas non plus deviner l'âge de la sœur. La seule partie de son corps visible était la main qui tenait la bougie. À la lumière de la flamme, la peau semblait aussi lisse que de la soie. Comme si la paix de ce lieu avait le pouvoir de polir les personnes, ainsi que leur âme.

Le seul qui semblait échapper à ce phénomène était Cornelius.

Ils montèrent lentement les marches puis parcoururent un couloir sombre sans fenêtres, au bout duquel se trouvait la cellule du missionnaire. Marcus remarqua que son hôte l'attendait, les bras posés contre les barreaux en fer bruni, les mains jointes. La sœur aux bottines noires s'arrêta à la moitié du couloir et lui confia la bougie. Ensuite, le pénitencier poursuivit seul.

Arrivé devant la grille, il se retrouva devant le vieil homme fatigué. La peau de Cornelius était laiteuse, ses dents jaunies. Il portait un gilet usé et informe, ainsi qu'un pantalon trop large qui mettait en évidence sa maigreur. Il était voûté, son crâne parsemé de rares cheveux blancs. Il se lavait peu et sentait mauvais. Mais Marcus savait qu'il ne devait pas se laisser tromper par son apparence.

Le monstre avait l'air dompté, mais il était encore dangereux.

Trois ans plus tôt, il s'était enfui et avait tué une des sœurs. Il avait coupé le cadavre en morceaux, qu'il avait disséminés dans le bois. La bête féroce d'autrefois dormait encore en lui. L'oublier, cela voulait dire mourir.

— Bienvenu, pèlerin, le salua Cornelius. Qu'est-ce qui t'amène dans la maison du Seigneur ?

La cellule était meublée d'un lit de camp, d'une chaise en bois et d'une étagère contenant une vingtaine de livres : de *De continentia* de saint Augustin à *De libero arbitrio* d'Érasme de Rotterdam, de la biographie de saint Thomas à celle de Roscelin de Compiègne, jusqu'à *La Divine Comédie.* Depuis vingt-trois ans, ces textes religieux constituaient l'unique contact entre la bête et la civilisation des hommes. Battista Erriaga lui-même avait sélectionné les titres. Pour le reste, l'Avocat du diable l'avait condamné à l'isolement le plus total. Ainsi, Cornelius lisait et relisait les mêmes pages pour empêcher l'ennui de le tuer avant le temps.

Marcus s'assit sur le banc contre le mur.

— Arturo Gorda, dit-il.

L'autre préféra rester debout.

— L'évêque… Que lui est-il arrivé ?

— Il est mort cette nuit. De façon indigne.

— Suicide ?

— Étranglement mécanique.

— Intéressant. Raconte-moi, s'il te plaît.

Marcus décrivit la scène qu'il avait découverte, ainsi que le « collier du plaisir ».

Quand il eut terminé, Cornelius laissa échapper un sourire.

— J'imagine que notre ami commun Battista Erriaga s'est donné du mal pour étouffer l'histoire du saint dépravé.

— Il m'a envoyé faire le ménage. J'ai fait du bon travail, personne n'en saura jamais rien.

— Mais ?

Van Buren avait compris qu'il y avait autre chose.

— Anomalies, répondit Marcus. Commençons par les chaussures…

— Quelles chaussures ?

Le pénitencier baissa les yeux sur les chaussures en toile blanche qu'il portait aux pieds.

— Ce matin je me suis réveillé dans le Tullianum. J'étais nu et menotté. Quelqu'un m'a mis là pour me laisser mourir de faim. La seule nourriture qui m'a été concédée était la clé des menottes. J'ai réussi à me libérer parce que je l'ai vomie. Je ne me rappelle rien des heures qui ont précédé mon réveil : ni ce que j'ai fait ni qui a voulu me punir ainsi. Surtout, je ne sais pas pourquoi j'ai mérité ça. C'est comme s'il y avait un trou noir dans mon esprit.

— Quel rapport avec les chaussures ?

— Je les ai trouvées à côté de mes vêtements. Je ne sais pas d'où elles viennent. Mais Gorda en avait une paire identique dans son armoire.

— Combien de gens possèdent ces chaussures ? Qu'est-ce qui te dit que ce n'est pas un hasard ?

— Ça...

Marcus sortit de sa poche le quotidien annonçant la disparition du petit Tobia Frai, survenue le 22 mai, neuf ans plus tôt. Il le tendit à Cornelius, qui l'examina.

— Je ne sais pas pourquoi l'évêque conservait ce vieux journal. Néanmoins, c'est la deuxième coïncidence avec ce qui m'est arrivé dans le Tullianum. En effet, dans une de mes poches, j'ai trouvé une page de carnet arrachée. Dessus, il y avait une inscription avec mon écriture : *Trouve Tobia Frai.*

Cornelius rendit le journal à Marcus. Puis il joignit les mains dans son dos et fit quelques pas dans la cellule.

— Un enfant disparu depuis neuf ans, des chaussures en toile blanche, le Tullianum, un évêque mort dans des circonstances absurdes, ta brève amnésie..., énuméra-t-il avant de se retourner vers Marcus. Si je t'aide, que recevrai-je en échange ? Quelle sera ma récompense ?

Le pénitencier s'attendait à la question.

— Je t'écoute. Fais-moi ta requête.

Cornelius se tut. La proposition était tentante.

— Un livre.

— D'accord.

Van Buren était heureux et incrédule.

— Mais pas n'importe quel livre. Celui que je veux se trouve à la bibliothèque Angelica. C'est un incunable.

Naturalis historia de Pline l'Ancien, traduite par l'humaniste Cristoforo Landino. Il a été dédicacé à Ferdinand Ier d'Aragon, roi de Naples. Il contient de merveilleuses miniatures.

Ses yeux brillaient comme ceux d'un assoiffé de savoir devant la source de la connaissance.

— Tu l'auras, confirma le pénitencier.

— Et que dira Erriaga ?

— Qu'il aille au diable.

Au cours de ses précédentes visites, Marcus avait toujours adopté une attitude détachée envers le missionnaire. La distance lui servait à ne pas oublier à qui il avait affaire, mais aussi à rester impartial dans leurs conversations. Il y avait toujours eu un pacte tacite entre eux deux : personne ne devait envahir le territoire de l'autre. Ils ne deviendraient jamais amis, ni confidents. Les rencontres avec Marcus constituaient une diversion dans la terrible routine de Cornelius. Le pénitencier savait que le prisonnier n'y renoncerait jamais. Ainsi, jusque-là il ne lui avait jamais rien proposé en échange de son aide. Aujourd'hui cependant, il avait changé de tactique en lui demandant une récompense. Peut-être parce qu'il sentait que l'enjeu était important.

— Bien, je t'aiderai, confirma Van Buren. Mais à une condition : tu devras tout me dire. Si tu me caches quelque chose, je m'en apercevrai.

— Cela vaut aussi pour toi, répondit Marcus pour sceller le pacte. Qu'est-ce que cette histoire t'inspire ?

— Je ne sais pas… Nous avons trop d'éléments à disposition, trop d'anomalies. Nous risquons de nous emmêler.

— Je crois que ce sont des pans de mémoire perdue. Si je les rassemble, je pourrai découvrir pourquoi je les ai oubliés.

Van Buren secoua la tête.

— Je suis désolé mais je ne crois pas que cela fonctionne ainsi. Tu dois d'abord remettre de l'ordre… Partons de ce qui se passe en ville en ce moment.

Marcus se tut. L'autre ne pouvait pas être au courant de la coupure générale.

— Que sais-tu ? lui demanda-t-il au bout d'un moment.

— Dans la Rome antique, les *augures* interprétaient la volonté des dieux en fonction du vol des oiseaux… J'ai fait la même chose : la réponse a été qu'une grave menace pèse sur nous.

— Tu n'as même pas de fenêtre, fit remarquer le pénitencier.

— Je ne me moque pas de toi, le rassura l'autre. Ma vue est limitée mais mon ouïe est encore suffisante. Ce matin, à l'aube, il pleuvait. Et j'ai aussi entendu le bruissement des ailes des oiseaux – des centaines. Les oiseaux ne volent pas sous la pluie. Donc, quelque chose les a effrayés.

— Le silence, dit Marcus en repensant aux volatiles noirs qu'il avait aperçus dans les bois. C'est le silence soudain qui les a désorientés.

Cornelius semblait satisfait de ses déductions.

— Seul un cataclysme ou une peste peuvent faire taire une ville.

— Ou bien une coupure d'électricité de vingt-quatre heures.

Cornelius sembla étonné.

— Ainsi Rome expérimente pour un jour ce que je vis depuis vingt-trois ans.

— Je crois que oui. Et maintenant que tu le sais, dis-moi à quoi sert cette information, coupa court Marcus.

Le vieil homme alla s'asseoir sur son lit pour reposer ses membres fatigués par la vie en captivité.

— Léon X…

— Quoi ?

Marcus n'avait pas entendu.

— En 1513, le quatrième enfant de Laurent de Médicis a accédé au trône de saint Pierre sous le nom de Léon X. Il était devenu cardinal en secret, à seulement treize ans.

— Le pape à qui Luther s'est opposé, se rappela Marcus. Le souverain pontife qui a permis la vente des indulgences pour les péchés.

Pour cette raison, il était l'ennemi de la Pénitencerie et du Tribunal des âmes.

— C'est vrai, mais c'était aussi un conciliateur. Il a sauvé la vie de Machiavel, il s'est entouré d'artistes comme Raphaël. Il avait deux natures, souvent en conflit, comme tous les hommes.

— Quel rapport avec ce qui se passe aujourd'hui ?

— Léon X a rédigé une bulle, disposant que Rome ne devait « jamais jamais jamais » être plongée dans l'obscurité. Pour souligner l'importance de sa recommandation, il a répété trois fois « jamais ».

— Pourquoi cette disposition ? Qu'est-ce qui faisait si peur au pape, dans l'obscurité de Rome ?

— Personne ne l'a jamais su. Léon X est mort neuf jours plus tard, peut-être empoisonné.

Marcus savait que ce n'était pas la première fois qu'un pape était assassiné. Il n'était pas rare qu'au sein de l'Église certains problèmes de pouvoir soient réglés de façon assez extrême. Gorda était un conseiller très écouté par le souverain pontife actuel, une figure importante.

— Es-tu en train de me dire que l'évêque pourrait avoir été tué ?

Mais Cornelius éluda la question :

— Dis-moi, as-tu bien regardé son cadavre ? Y avait-il des signes étranges sur lui ?

— Un cercle bleu, dit Marcus en évoquant le tatouage à l'intérieur de la cuisse, se demandant comment Van Buren le savait. J'ai respecté l'accord : tu sais tout, maintenant à toi de parler.

— De l'ordre, Marcus. Il ne suffit pas de savoir. D'abord, tu dois mettre de l'ordre dans ce que tu sais, l'admonesta l'autre pour la seconde fois.

— Je suis déjà fatigué de tes petits jeux. Maintenant, ça suffit.

Cornelius se releva et déambula à nouveau dans la cellule.

— Réfléchis : la première pièce du puzzle est la coupure générale d'électricité. Et la deuxième ?

Marcus n'avait pas l'intention d'écouter les tentatives de manipulation de ce sadique, mais il essaya de se calmer.

— Mon réveil au Tullianum.

— Non, tu te trompes. Tu ne penses qu'à ce qui t'est arrivé parce que tu es obsédé par la brève amnésie que tu as subie. Elle a réveillé en toi la peur de perdre à nouveau définitivement la mémoire, comme à Prague il y a des années. Mais tu dois partir de ce qui t'est arrivé après.

— La mort de Gorda.

— Comment est mort l'évêque?

— Je l'ai déjà dit. Étranglement mécanique. Mort accidentelle.

— Le « collier du plaisir »... Et toi, comment allais-tu mourir?

— Ils voulaient me laisser crever de faim dans ce trou.

— Alors qu'avez-vous en commun, toi et l'évêque, hormis ces stupides chaussures en toile blanche? Le collier, l'inanition : ne s'agit-il pas de vieilles techniques de torture?

— Es-tu en train de me dire que la même main se trouve derrière ces deux histoires?

— Pourquoi me le demandes-tu? Tu le savais déjà avant de venir ici.

— Ce n'est pas possible : Gorda a tout fait tout seul. La dynamique, la façon et les circonstances excluent catégoriquement l'intervention d'une autre personne.

Marcus n'arrivait pas à y croire. Il sentait monter la colère, convaincu que Van Buren lui cachait quelque chose d'essentiel.

— Comment connaissais-tu l'existence du tatouage?

— Je ne la connaissais pas. Je t'ai seulement demandé s'il avait des signes sur le corps et tu m'as répondu « un cercle bleu ».

— Foutaises, répondit le pénitencier. Dis-moi ce que tu sais.

Cornelius sourit.

— La bulle pontificale, l'obscurité de Rome... À quoi cela te fait-il penser?

— À un mystère qui dure depuis des siècles.

— Comment se sentaient les gens ordinaires face à un mystère ?

— Ils avaient peur.

— Exact : nous avons tous peur de l'inconnu. Et quelle était l'intention de Léon X quand il a émis la bulle ?

— Protéger, prévenir.

— Exact ! Parce qu'il savait quelque chose que les autres ne savaient pas. Quelque chose qui se produirait dans l'obscurité.

— Tu veux dire que la bulle contient une prophétie ? C'est absurde : les prophéties n'existent pas.

— L'obscurité était l'ennemie de Léon X. Quelle partie de la journée est la plus obscure ?

— La nuit.

— Et quand une nuit est-elle plus sombre que les autres ?

— Je ne sais pas.

Il en avait assez des devinettes.

— Allez ! l'exhorta Cornelius.

— Quand il n'y a pas de lune.

— Non ! hurla Van Buren. La nuit la plus sombre et la plus effrayante, c'est quand il y a la lune… mais que personne ne peut la voir.

Marcus repensa au cercle bleu.

— Une éclipse.

Il le dit à voix basse, mais Cornelius eut tout de même la confirmation que son élève avait compris la leçon. Ses yeux exprimaient son contentement.

— Exact. Et qu'est-ce qu'un black-out, sinon une éclipse technologique ? Le monde autour de nous cesse d'être comme nous le connaissons. Comme nos ancêtres devant la disparition temporaire de la lune, nous nous sentons soudain fragiles et sans défense. Vulnérables.

— Il va se passer quelque chose après le coucher du soleil. Quelque chose de terrible, comprit le pénitencier, sidéré.

Certains pouvaient croire qu'un pape l'avait prophétisé cinq cents ans plus tôt. Pas Marcus. Pour lui, il y avait toujours une explication rationnelle. Et il était encore plus convaincu que Van Buren cachait quelque chose.

— Comment puis-je empêcher que cela arrive ? Dis-le- moi.

— Procédons par ordre, lui intima l'autre, péremptoire. Cette nuit, reviens me voir avec ce que tu auras découvert, nous chercherons ensemble les réponses. Et surtout, rappela-t-il avec un sourire sombre, n'oublie pas d'apporter ce livre.

9

Le Tibre avait dépassé le niveau d'alerte.

Depuis quelques heures, le fleuve était sous haute surveillance, on craignait l'inondation. Il était impossible de prévoir le volume de pluie qui tomberait encore sur Rome et si les berges pourraient retenir une crue.

Le personnel de la protection civile avait été chargé de déplacer les œuvres d'art qui enrichissaient les musées et les bâtiments dans les étages les plus élevés. On mettait les monuments en sécurité en érigeant des murs en sacs de sable, telles des tranchées. La place Navone, l'Autel de la Paix, le Colisée, le Panthéon et tous les sites archéologiques et les églises ressemblaient à des champs de bataille.

Bien qu'il n'y ait pas eu d'inondation depuis quarante ans, les caprices du fleuve qui, par le passé, avait plus d'une fois envahi le centre historique étaient encore présents dans les mémoires. Le Tibre rappelait qui était le véritable patron de Rome, qui pendant des siècles lui avait assuré beauté et prospérité, et qui pouvait tout reprendre en quelques minutes.

Pour cette raison, les archives étaient désertes.

Le personnel avait été affecté ailleurs, là où il serait plus utile. Du moins Sandra l'espérait, parce qu'elle ne voulait pas avoir à expliquer à ses collègues pourquoi elle se trouvait là. La grande pièce ornée de fresques, dans le bâtiment où la police de Rome avait son siège, l'accueillit avec sa quiétude habituelle. Elle ressemblait à la salle de consultation d'une immense bibliothèque. Pourtant, sur les longues tables en bois, à la place des volumes séculaires on trouvait des ordinateurs modernes, qui à ce moment-là fonctionnaient grâce aux générateurs.

Sandra s'assit devant un des terminaux et inséra les termes de sa recherche, centrée sur le nom de Vitali.

Elle partit de son état de service et s'aperçut que l'inspecteur avait beaucoup bougé, ces dernières années. Avant d'être affecté au bureau des statistiques sur le crime et la criminalité, il avait dirigé le bureau des retraites, puis il avait supervisé la gestion du parc automobile de la police. Il s'était occupé de communication, de la revue interne, et ainsi de suite. Toutes ces attributions étaient modestes et ne prévoyaient aucun rôle opérationnel : elles ne comportaient donc aucun risque.

Toutefois, ce matin-là à la fourmilière, dans le bureau du préfet de police, Vitali avait révélé une maîtrise parfaite de la situation. Il s'était exprimé comme un *profiler* quand il avait décrit l'assassin du film retrouvé dans le téléphone. « Il y a un être humain, dehors, capable de faire des choses indicibles à ses semblables… Ne commettez pas l'erreur de penser qu'il s'agit uniquement d'un avertissement ou d'une menace. C'est une déclaration d'intention. Il veut nous dire : ceci n'est que le début. »

Quelque chose ne cadrait pas avec ce policier, Sandra en était convaincue. Elle tenta de remonter dans l'historique du dossier de l'inspecteur, pour comprendre qui il était réellement. La réponse des archives fut un blocage total.

« Fichier de quatrième niveau », affichait la fenêtre sur l'écran.

Bureau des statistiques mon œil, se dit Sandra. Le quatrième niveau de confidentialité était destiné aux affaires où la question de la sécurité était épineuse, notamment les enquêtes sur les cellules terroristes, les groupes subversifs et les tueurs en série.

À laquelle de ces catégories appartenait l'homicide que montrait le film ? Un drogué qui parlait araméen et communiait avec une hostie noire. L'acide qu'il avait été contraint de boire et qui avait brûlé ses chairs de l'intérieur. Le cercle bleu sur sa peau. L'assassin qui avait tout filmé avec un téléphone, avant de le laisser exprès dans un taxi pour que la police le retrouve.

Pourquoi y avait-il une tache de sang d'épistaxis sur ce téléphone ? Marcus était-il réellement impliqué dans cette histoire, ou Sandra s'était-elle laissé influencer parce qu'elle n'arrivait pas à faire sortir cet homme de sa tête ?

Elle se rappela la traduction donnée par Vitali des mots du condamné avant de mourir : « Le Seigneur des Ombres marche avec moi. Il est le maître de la vérité. Il est la nouvelle vie… »

C'était une prière, ce qui tendait à confirmer l'implication du prêtre pénitencier. Mais, en même temps, cette supplication n'était pas comme les autres. Quelque chose ne collait pas.

Ainsi, elle décida d'approfondir la question avec l'homme le plus religieux qu'elle connaissait.

La porte coupe-feu qui donnait sur l'escalier de secours au troisième étage de la préfecture de police était déconnectée de l'alarme anti-incendie. Pourtant, la maintenance de l'immeuble était permanente. Chaque fois que le capteur était réparé, au bout de quelques jours il se cassait à nouveau. Aucun des techniciens ne parvenait à expliquer le mystère. Toutefois, pour le percer à jour, il aurait suffi d'aller là-bas vers 11 heures du matin, quand le commissaire Crespi utilisait cette sortie pour accéder à la coursive et fumer son unique cigarette de la journée. Seule Sandra savait que c'était lui qui désactivait le capteur, parce qu'il s'était créé une oasis de plaisir et qu'il ne voulait absolument pas y renoncer. Au prix de mettre en jeu la sécurité de ses collègues.

C'était peut-être le seul péché véritable d'un homme aussi irréprochable que Crespi.

Elle était convaincue que ni l'alerte météo ni le black-out n'empêcheraient le commissaire de se concéder ses quelques minutes de béatitude solitaire. Elle le trouva exactement là où elle s'y attendait.

— Vega, que fais-tu ici ? N'avais-tu pas pris ta journée ?

Le commissaire venait d'allumer sa cigarette.

— Nous devons parler.

— De quoi ?

— Qui est Vitali ?

Crespi expira la fumée, ne sachant où regarder.

— Qu'est-ce que c'est que cette question ?

— Je veux savoir qui est *vraiment* Vitali…

— Pourquoi ne rentres-tu pas chez toi ? Tu as entendu que le Tibre risque de déborder ?

Mais Sandra se moquait du Tibre. Elle s'approcha et le fixa de ses yeux verts.

— Toi, lui, le chef de la police, le préfet : vous m'avez offert une jolie petite mise en scène, ce matin. Qu'est-ce que vous me cachez ? J'ai le droit de savoir.

— Nous te l'avons dit. Que veux-tu savoir de plus ?

— Peu m'importe que vous m'ayez impliquée. Ce qui me fait le plus mal, c'est de savoir que tu as un rôle dans cette saloperie.

Crespi se tut un peu trop longtemps. Il avait l'air mortifié.

Sandra sut qu'elle avait visé juste. Elle baissa la voix.

— J'ai toujours pensé que tu étais différent des autres, meilleur. Et je t'ai toujours fait confiance. D'ailleurs je te fais encore confiance, sinon je ne serais pas ici.

Crespi était un brave homme. Elle connaissait son petit endroit secret parce qu'il le lui avait montré, un jour où elle avait fondu en larmes à cause du stress. C'était à l'époque de la terrible affaire du monstre de Rome, après qu'elle avait dit adieu à Marcus. Crespi ne voulait pas que les autres policiers la voient dans cet état, aussi il lui avait offert un refuge et une épaule sur laquelle s'épancher.

— Allez, commissaire, dis-moi ce qui se passe. Je t'en prie.

L'homme inspira profondément, son estomac proéminent sursauta. Il se passa une main dans les cheveux et se gratta la nuque à la recherche d'une raison valable pour rompre le pacte, qu'il finit par trouver.

— On n'en parle jamais. Certains sujets peuvent générer des équivoques, de l'embarras… Et puis, les contribuables n'aiment pas que les impôts soient dépensés pour ça, surtout quand il y a une foule de délinquants ordinaires à qui donner la chasse. En plus, la presse est habile pour influencer l'opinion publique. Voilà pourquoi Vitali jouit d'un statut particulier au sein de la police, et qu'il préfère faire profil bas.

Sandra ne comprenait pas. Son supérieur tergiversait, il semblait avoir perdu la tête.

— Crespi, mais de quoi parles-tu ? Quel sujet ? Je ne comprends pas…

L'autre déglutit et la regarda.

— Département des crimes ésotériques.

— De quoi s'agit-il ? demanda Sandra qui voyait maintenant pourquoi le commissaire avait tant hésité à parler.

— En vérité, Vitali en est le seul membre. Le département s'occupe des crimes qui ont à voir avec la religion : des prédicateurs qui charment des jeunes gens innocents et en font des esclaves dans leur communauté, des fanatiques qui tuent pour faire payer à la société ses propres fautes, des sectes sataniques…

Sandra repensa à la vidéo du téléphone. À quoi avait-elle assisté, exactement ? Elle avait l'impression qu'il s'agissait d'une sorte de sacrifice humain. Et maintenant, Crespi lui en fournissait la quasi-certitude.

— Parle-moi de Vitali.

— C'est un salaud, mais ça tu l'auras compris toute seule.

Il était étonnant d'entendre ce mot dans la bouche de Crespi, toujours attentif à son vocabulaire, jamais vulgaire. S'il l'employait, alors il fallait le croire.

— Moi non plus je ne l'aime pas trop.

— Mais garde ça pour toi. Il traite de sujets délicats et il est habitué à évoluer en zone grise. Quand il enquête, il jouit d'un grand pouvoir et il a des oreilles partout. C'est un homme influent, même les chefs le craignent. On dit qu'il est au courant de secrets grâce auxquels il s'est assuré une sorte d'« immunité » de service.

— Que veux-tu dire ?

— Qu'il est autorisé à avoir recours à des méthodes non conventionnelles, souvent à la limite du code pénal, mais qui ne violent aucune loi. Dans les affaires dont il s'occupe, plus que le résultat c'est la discrétion qui compte.

Sandra le regarda dans les yeux.

— Toi aussi tu as peur de lui, n'est-ce pas ?

Crespi jeta son mégot de cigarette et, contrevenant à la règle qu'il s'était imposée, il en alluma une deuxième. Il tira longuement dessus et tendit le doigt vers Sandra.

— Écoute-moi bien : garde tes distances avec lui. Compris ? Ne te mêle pas de ses affaires, oublie-le.

— Alors explique-moi ce qu'est cette vidéo.

— Merde, tu ne m'écoutes pas ! s'écria Crespi, dépassant sa dose maximale de gros mots. Rentre chez toi et profite du jour de vacances que t'a offert Vitali.

— La vidéo, répéta-t-elle.

Le vieux policier la regarda, tira sur sa cigarette puis poursuivit à contrecœur :

— L'assassin a probablement fait boire à la victime un composé à base de soude caustique, diluée pour en ralentir l'efficacité et rendre le tout plus douloureux. La douleur est un élément très important de cette histoire.

— Pourquoi ? Explique-moi.

— Parce qu'il s'agit d'un meurtre rituel.

Sandra avait vu juste, même si en présence de Vitali elle n'avait rien dit.

— On ne sait pas qui est le pauvret qui est mort de façon si horrible. Ce qu'on sait, c'est que l'hostie noire fait partie d'un cérémonial très ancien. On l'utilisait dans l'Église de l'éclipse, expliqua Crespi en regardant autour de lui, inquiet. Mon Dieu, je ne devrais pas te parler de ça.

Si le commissaire invoquait en vain le Seigneur, alors la situation était grave.

— Avant que tu sois impliquée, il y a eu une autre réunion avec le préfet et le chef de la police. C'était hier soir, juste après la découverte du film dans le téléphone. C'est là que Vitali nous a expliqué que la secte remonte à l'époque de Léon X. Ses membres profitaient des nuits d'éclipse de lune pour commettre des meurtres à Rome. Des victimes innocentes.

— Dans quel but ?

— Je ne sais pas, Vitali ne nous l'a pas dit. Il a seulement ajouté que les membres se tatouaient un petit cercle bleu ciel sur la peau.

Sandra l'avait remarqué sur l'avant-bras de la victime.

— Et l'homme de la vidéo ? S'il était un adepte, pourquoi a-t-il été tué ?

— Tu m'en demandes trop : je n'en ai aucune idée, soupira Crespi. Peut-être que Vitali le sait. Il a l'air à son aise avec ces conneries. Il dit que l'hostie noire symbolise l'ombre de la terre qui se reflète sur la lune et que, en l'avalant, les membres de la secte atteignent « l'extase de la connaissance », affirma-t-il avec emphase.

— Et toi, qu'en penses-tu ?

— J'en pense que jusqu'à hier cela m'aurait fait rire. Mais ensuite j'ai vu ce film, le même que toi... Et ce type parlait en araméen, par le Christ.

— Ne penses-tu pas que le black-out et l'état d'urgence nous jouent un mauvais tour ? Je veux dire : la situation que nous vivons est totalement inédite, elle pourrait conditionner notre capacité de jugement.

Crespi y réfléchit un moment.

— Tu as peut-être raison. Nous sommes comme nos ancêtres devant un événement naturel qu'ils n'arrivaient pas à expliquer. La peur influe sur notre lucidité.

Sandra avait encore une question.

— Pourquoi ai-je été impliquée ? Pourquoi moi ? Et ne me sors pas le même bobard que tout à l'heure, que je suis la meilleure enquêtrice photo de Rome.

Crespi se rendit.

— Sur ce portable, en plus du film, il y avait une photo de toi.

La révélation ébranla Sandra Vega. Encore plus que l'idée que le sang de Marcus soit peut-être celui retrouvé sur le téléphone.

— Vitali se demande en quoi tu peux être impliquée. En fait, il considère que l'assassin a voulu nous annoncer qui est la prochaine victime… C'est pour ça qu'il t'a donné ta journée. Ce salaud veut t'utiliser comme appât.

10

2 heures et 35 minutes avant le coucher du soleil

Depuis que, la veille au soir, la nouvelle du black-out avait été diffusée, pour Rufo le Cafard une attente fébrile avait commencé, mélange d'euphorie et d'impatience. Dans le garage où il vivait enfermé, il s'était préparé toute la nuit à l'événement, réfléchissant à comment exploiter cette occasion unique : vingt-quatre heures de Babylone absolue. Il pourrait faire ce qu'il voudrait, impunément. Bien sûr il fallait être prudent, mais l'idée de se mettre à l'ouvrage était trop attirante.

Comme tout le monde, Rufo le Cafard attendait le coucher du soleil. L'obscurité serait son alliée. Mais, d'abord, il devait choisir une victime.

Il avait très tôt fantasmé sur la chanceuse qui allait avoir l'honneur d'être violée. En général, il cherchait des proies faciles. Il écartait les toxicomanes et les clochardes parce qu'il avait peur d'attraper des maladies. Il restait donc les touristes étrangères ivres, les auto-stoppeuses et les jeunes filles ayant fugué de chez elles. Il se contentait également des petites grosses qui se montraient sur Internet – ces thons réussissaient à accrocher des hommes qui jamais au grand jamais ne les auraient regardées dans la vraie vie. Elles constituaient des cibles pour Rufo car, comme les autres, elles portaient rarement plainte par la suite. Parce qu'elles avaient honte, mais aussi parce que, au fond, elles savaient qu'elles l'avaient bien cherché.

Toutefois, le black-out changeait les règles du jeu. Pourquoi se contenter de si peu ?

Pendant toute la nuit, Rufo le Cafard avait imaginé la brune qu'il croisait souvent au supermarché. Sac de sport, vague odeur de sueur, magnifique poitrine et cul bien dessiné. Ou bien il y avait la petite blonde qui travaillait au magasin de téléphonie – une merveille ! Comme les autres vendeuses, elle portait un uniforme affreux, mais de son pantalon à taille basse dépassait un string coloré. Elle se penchait exprès pour le provoquer, la pute. Et puis, il y avait la propriétaire du bar où il prenait son café chaque matin. Elle était séparée et avait un fils. Son mari avait dû la quitter parce qu'elle aimait trop baiser à droite à gauche – oui, c'était le cas. La femme plaisantait grassement avec les clients, elle appréciait qu'ils lui fassent tous la cour. Pourtant, cette salope n'avait jamais accordé un regard à Rufo. Pour elle, comme pour les autres, il n'existait pas. Il n'était qu'un jeune homme gracile, timide et introverti, qui marchait en rasant les murs et se glissait dans les coins. Un cafard. Mais un de ceux qui ne valent même pas la peine d'être écrasés. Si seulement elles avaient su ce qu'il était capable de faire avec un vibromasseur et un couteau... Rufo s'était toujours contenté de les regarder de loin. Trop belles et inaccessibles pour un raté comme lui. Si, pour se les faire, il avait utilisé la méthode habituelle, il aurait fini en prison, pour sûr.

Mais cette nuit, il pouvait être ambitieux. Il se sentait comme un cafard dans une réserve de gâteaux. Tout ce sucre délicieux ! Après une longue réflexion, il avait exclu la blonde du supermarché, parce qu'il n'avait pas le temps de s'informer sur elle, et la propriétaire du bar, à cause de son fils. Il ne restait que la petite blonde du magasin de téléphonie. Il ne lui avait pas fallu longtemps pour découvrir où elle habitait. L'idée était d'entrer chez elle par surprise.

Toutefois, avant d'agir, il fallait attendre que le soleil se couche. Il s'était masturbé au moins quatre fois depuis qu'il s'était réveillé. Maintenant il fallait se calmer, sinon il n'aurait plus rien pour la nuit. Pour se distraire, il rangea ses instruments et récapitula son plan. Il devait être prudent à cause du couvre-feu. Si les flics l'arrêtaient avec ces trucs dans son sac à dos, ils le tabasseraient. Salauds. Il était sûr que ces sadiques en uniforme n'attendaient qu'une chose, mettre la main sur lui pour lui fracasser le crâne à coups de matraque. Cette nuit, ce serait la Troisième Guerre mondiale à Rome. Or on le sait, les cafards se moquent des bombes. Dans le fond, ce sont les seules créatures de la planète à avoir survécu pendant des millions d'années à toute forme d'extinction.

Dans son garage, il repassa dans sa tête le parcours qu'il avait décidé de suivre pour éviter les patrouilles. Puis il vérifia une dernière fois la petite caméra GoPro qu'il se mettrait sur le front pendant l'embuscade.

Il fallait qu'elle fonctionne à la perfection. Le seul problème était les piles. Ne pouvant les recharger, il devait faire avec ce qu'il avait. Le comble aurait été qu'elles le lâchent au plus beau moment. Il avait dépensé une petite fortune pour ce bijou, le rendu final était remarquable. Les images étaient stabilisées, la luminosité se corrigeait automatiquement. Néanmoins, il intervenait souvent en postproduction pour améliorer les vidéos.

Cela aurait été une erreur de prendre Rufo le Cafard pour un simple maniaque violeur. Il était également un véritable petit entrepreneur. Sa jeune start-up lui rapportait beaucoup en ligne.

La dernière frontière du porno sur Internet était le viol.

Rufo ne se considérait pas comme un réalisateur quelconque mais comme une sorte d'artiste. Son œuvre faisait déjà légende parmi les fans du genre. Dernièrement, le Cafard s'était équipé pour le streaming en direct. Il débordait d'idées.

Il se demanda combien il tirerait, en termes économiques, de la violence sexuelle sur la petite blonde du black-out. Une fortune, il en était convaincu. Rufo avait l'intention de tout filmer, y compris son entrée dans l'appartement. Quand il y pensa, il sentit une vague de chaleur entre ses jambes. Son pénis devenait dur à nouveau. Sans résister à l'impulsion, il glissa une main dans son pantalon et le serra – tant pis, pour se faire plusieurs fois la blonde il prendrait un Viagra. La tête en arrière, les yeux fermés, il attendit l'orgasme. À la place, il sentit une douleur lancinante dans le bas-ventre.

— Comment vas-tu, Rufo ? demanda Marcus en serrant ses testicules entre ses doigts. À quoi te prépares-tu ?

Il le souleva de quelques centimètres. Rufo ne réussissait pas à parler. Il n'avait plus d'air dans les poumons et plus la force d'inspirer. L'homme était arrivé par-derrière – comment avait-il pu entrer dans le garage ? Mais il avait reconnu sa voix. Le type à la cicatrice sur la tempe gauche qui saignait toujours du nez, qu'il avait surnommé le « Trouble-fête ». Durant leur seule rencontre, il avait mis fin à l'une de ses meilleures performances avec une jeune Asiatique, à qui le Cafard avait consacré une longue cour au couteau. Il se rappelait nettement cette journée, parce que ensuite il avait passé deux mois à l'hôpital avec une vertèbre fêlée et un traumatisme pelvien par écrasement.

— Rufo le Cafard, dit Marcus. On dirait le protagoniste répugnant d'un conte tragique.

Il lâcha un peu sa prise pour le laisser respirer et regarda autour de lui.

— Tu t'es aménagé un nouveau chez-toi, à ce que je vois. Les pionniers du Web commencent toujours dans un garage, bravo.

Rufo articula quelque chose, mais même lui n'était pas certain que ce fussent des mots.

— Je ne comprends pas… Qu'essaies-tu de me dire ? demanda le pénitencier en approchant sa bouche de l'oreille du violeur en série. Économise ton souffle et réponds rapidement : le « collier du plaisir », un engin bondage vraiment mignon. Mais celui que j'ai trouvé a des options en plus : viseur à réalité augmentée, capteurs qui détectent l'excitation et dosent l'étranglement, connexion à Internet pour les contenus pornographiques. Le tout rangé dans une élégante boîte doublée de velours noir.

— … riche…

Marcus ne comprit que ce mot, alors il décida d'accorder une pause à Rufo. Il lâcha ses testicules et vit le Cafard s'écrouler sur le sol en se tordant sur lui-même, les mains sur le bas-ventre, le visage écarlate.

— Pourrais-tu répéter, s'il te plaît ?

— Que seul un riche peut se permettre ce truc, dit Rufo d'un filet de voix…

— Ce détail ne m'avait pas échappé. Dis-moi quelque chose que je ne sais pas, sinon je recommence la désinsectisation… C'est toi qui décides.

Rufo le Cafard se mit sur le dos et regarda longuement le plafond, tentant de réprimer la douleur.

— Je voulais dire que ça a dû coûter très cher parce que c'est sans doute une pièce unique, faite sur mesure.

— Qui fabrique ces trucs ?

— Finitions en cuir et électronique, c'est bien ça ?

Marcus comprit qu'il avait choisi la bonne personne pour se renseigner.

— Exact.

— À Rome il n'y a qu'un gars qui travaille comme ça. Un véritable artisan. Ses clients sont des gens de grande classe et surtout ils ont de l'argent. Ils ne regardent pas à la dépense pour avoir un service de qualité.

— Comment s'appelle-t-il ?

— Il n'a pas de nom. On l'appelle le « Fabricant de jouets ».

La définition était appropriée, pour les marchandises qu'il vendait. Des jouets sophistiqués pour adultes, des petites perversions mécaniques.

— Où puis-je le trouver ?

— Sûrement pas dans l'annuaire.

Rufo se mit à rire, mais cessa quand un élancement lui rappela qu'il valait mieux rester immobile.

— Je viens de te dire qu'il n'avait pas de nom, donc logiquement personne ne sait où il habite, tu ne crois pas ?

— Alors comment je fais pour le trouver ?

Rufo se dit que c'était l'occasion de sauver sa peau.

— Si je t'y emmène, tu promets de ne pas me tuer ?

Marcus avait confiance en ce genre de proposition.

— Je ne sais pas.

Rufo marchait devant, sous les balcons pour se protéger de la pluie. Marcus avançait quelques pas derrière lui, sans jamais le perdre de vue. Il se moquait totalement d'être trempé.

Il y avait moins de monde que le matin et les gens qu'ils croisaient pressaient le pas pour rentrer chez eux avant le couvre-feu. La lumière derrière les nuages sombres avait changé. Marcus savait qu'il fallait faire vite.

Le coucher du soleil était proche.

Le quartier Parioli était l'un des plus élégants de la ville, bien gardé par les forces de l'ordre. Peut-être parce qu'il était habité par les classes sociales les plus aisées, pensa Marcus. Le couvre-feu ne suffirait pas à éloigner les voleurs. Bientôt ils arriveraient en masse, faméliques et sans pitié.

Le Fabricant de jouets n'aurait aucun problème, parce que depuis longtemps il avait pris les précautions nécessaires. Il habitait une belle villa avec jardin, datant des années cinquante, entourée d'un haut mur en briques surmonté de fils barbelés. Il y avait des caméras partout. En voyant leur petit point rouge, Marcus comprit que le maître de maison était équipé d'un générateur. Le pénitencier compta au moins trois systèmes d'alarme extérieure. Il se demanda combien il y en avait à l'intérieur. Il n'y avait qu'une seule possibilité pour entrer : quand ils arrivèrent devant le portail, Marcus poussa Rufo vers l'interphone.

— Il va se mettre en colère quand il verra que je t'ai amené, dit le Cafard. S'il décide de nous ouvrir.

— J'espère pour toi que tu sauras te montrer convaincant, le menaça Marcus.

Rufo tendit un bras vers le bouton, mais s'arrêta net.

— Mais qu'est-ce que…

Le Cafard observa le portail, puis y posa la main. Il poussa, le battant s'ouvrit. Il interrogea Marcus du regard, parce qu'il ne savait pas quoi faire. Le pénitencier le força à entrer.

— Hé, je t'ai amené jusqu'ici, maintenant tu peux continuer tout seul, protesta l'autre.

Marcus ne l'écouta même pas. Il l'attrapa par le bras et se dirigea vers la maison. Une fois sous le porche, il constata qu'aucun son ne provenait de l'extérieur. Et, malgré le générateur, il n'y avait aucune lumière allumée. La porte d'entrée n'était que poussée.

— Décris-moi le Fabricant de jouets. Que sais-tu de lui ?

— Qu'il est gros, chauve et qu'il s'énerve facilement, répondit Rufo.

— Quel âge a-t-il?

— Je n'en sais rien, la cinquantaine.

— Il a des armes?

À l'expression du Cafard, Marcus comprit qu'il ne s'était jamais posé la question.

— Écoute, je suis mort de trouille, pourquoi tu ne me laisses pas partir?

Marcus l'ignora à nouveau et le poussa vers la porte, qui s'ouvrit, le propulsant sur le sol, à l'intérieur.

— Fils de pute, jura Rufo.

Le pénitencier entra, l'enjamba et regarda autour de lui. La maison était étrange. Les murs étaient peints en rouge foncé et contenaient des niches. Il s'approcha de l'une d'elles. Elle contenait un petit manège en fer-blanc, magnifiquement décoré. Les chevaux étaient vernis et brillants. Dans une autre vitrine, il vit un cirque miniature automatisé. Dans une troisième, une marionnette à ressort.

Le Fabricant aimait les jouets anciens.

— Jolie collection, hein? dit Rufo. La première fois que je suis venu je suis resté…

— Silence, l'interrompit Marcus, qui avait entendu un bruit venant de la maison, derrière celui de la pluie. Tu as entendu, toi aussi?

— Quoi donc, exactement?

Le bruit allait et venait, comme une plainte. Mais le pénitencier n'était pas certain qu'il soit réel. Peut-être était-ce un résidu de sa récente amnésie, peut-être un acouphène dans sa tête. Il releva Rufo et le tira vers le couloir.

Ils arrivèrent à une salle circulaire, dont les fenêtres donnaient sur le jardin intérieur. Les pins, mis à nu par les récents orages, étaient grotesques et macabres, comme des squelettes dansants.

— Ceci est le laboratoire, annonça le Cafard.

La grande pièce était divisée en deux. D'un côté il y avait un ordinateur et une table métallique sur laquelle étaient éparpillés des composants de robotique. De l'autre, un plan de travail où étaient posés des outils d'artisan. Mais aussi du cuir, du velours, de la soie. Il y avait même une sorte de tissu clair qui semblait doux et invitait au toucher.

— C'est la fameuse peau du Fabricant de jouets, expliqua Rufo.

— Qu'est-ce qu'il en fait ?

L'autre éclata de rire.

— Comment ça, qu'est-ce qu'il en fait ? Toi, qu'est-ce que tu en ferais ? Tu n'as pas envie de la palper ?

Marcus comprit que Rufo se moquait de lui. Il se désintéressa du tissu et alla vers l'ordinateur.

— Que sais-tu du « collier du plaisir » ?

— Une fois, le Fabricant de jouets m'a dit qu'il l'avait perfectionné. Celui que tu m'as décrit est la version « luxe ». Elle est reliée à une base de données contenant des images impossibles à trouver sur l'Internet officiel, uniquement dans le réseau souterrain – ce qu'on appelle le *Deep Web*. Des trucs extrêmes ou du *snuff*. On peut être condamné pour le simple fait d'en posséder.

Le pénitencier n'arrivait pas à se sortir de la tête les deux images d'Arturo Gorda. Celle qu'il donnait de lui à la plupart des gens – pour eux, il était déjà un saint. Et celle qu'il avait offerte à quelques yeux ce matin-là – nu et immonde.

— Si les contenus pornographiques proviennent directement d'Internet, alors peut-être que le collier a un contrôle à distance.

— Peut-être, admit Rufo. Je n'y connais pas grand-chose.

Mais Marcus parlait à voix haute pour lui-même, pour s'assurer que la théorie avait un sens.

— Si l'engin est contrôlable à distance, quelqu'un peut s'introduire dans le software et en modifier le fonctionnement.

— Un virus informatique. Oui, sans doute, convint le Cafard.

Alors Gorda a certainement été assassiné, pensa Marcus. Et son assassin pouvait avoir agi directement de là. Tandis que dans sa tête l'hypothèse prenait la forme d'une certitude, il fut à nouveau distrait par le son plaintif qu'il avait entendu en entrant dans la maison.

Mais cette fois, Rufo l'entendit également.

— Qu'est-ce que c'est ? On dirait les pleurs d'un...

— ... enfant.

Marcus en était certain, maintenant.

Ils se tournèrent dans la même direction. La plainte provenait de derrière une porte fermée. Marcus s'y dirigea.

— Hé, attend, tenta de l'arrêter Rufus.

Mais le prêtre n'avait pas envie d'écouter.

— Putain, jura le Cafard en le suivant.

Marcus ouvrit la porte et franchit le seuil. Il dut attendre que ses pupilles s'habituent à la pénombre. Puis il le vit. Il ne s'était pas trompé.

Un enfant se tenait debout au milieu de la pièce.

— Maman! Maman! Viens me chercher, maman! supplia-t-il, terrorisé. Ne me laisse pas ici! Ne me laisse pas tout seul!

Le pénitencier fit un pas vers lui. Il reconnut la casquette portant l'emblème de l'équipe de la Roma.

L'anomalie lui sauta immédiatement aux yeux : en neuf ans, Tobia Frai n'avait pas grandi.

— Bordel de merde! s'exclama Rufo dans son dos. Ça donne des frissons.

L'enfant était enfermé dans une des niches du Fabricant de jouets. Des petites larmes lui striaient le visage. Quand il parlait, sa bouche bougeait à peine. Mais, surtout, son visage était sans expression.

— Maman! Maman! Viens me chercher, maman! Ne me laisse pas ici! Ne me laisse pas tout seul! répéta-t-il pour la troisième fois.

— Mon Dieu, ça a l'air vrai.

Rufo était sérieux.

La fameuse peau du Fabricant de jouets, pensa Marcus. Celle qu'il avait vue dans le laboratoire. Elle servait à fabriquer de parfaits simulacres de chair grandeur nature.

— Cet homme est un dieu, dit le Cafard admiratif. Tu aimes violenter les femmes? Il t'en fabrique une qui demande pitié. Tu es pédophile mais tu as peur de finir en prison? Il te permet de satisfaire tes fantasmes sans enfreindre la loi.

Il exploitait les pires vices des gens. Il leur permettait de satisfaire leurs envies perverses en restant aussi purs que des anges.

— Attends un moment, intima Rufo en s'approchant de la niche. Je sais qui c'est! J'avais dix ans et ma mère me cassait les couilles parce qu'elle ne voulait pas que je me balade tout seul. Elle était obsédée. Elle disait : « Dans la rue il y a des gens qui volent les enfants, tu pourrais finir comme Tobia… » Ce petit connard a gâché mon enfance, rit-il. On n'a jamais su ce qu'il était devenu, j'espère bien qu'il a crevé.

Marcus n'avait pas envie de répondre à ces insanités. Par contre, il était troublé parce qu'il venait d'apprendre, de la bouche de Rufo, que Tobia Frai n'avait jamais été retrouvé.

Il se pencha : à côté de la niche avec la poupée il y avait un téléphone sans fil. Il était allumé mais, bien sûr, la ligne était coupée. Quelqu'un a appelé d'ici récemment, se dit le pénitencier.

— Hé, tu saignes du nez.

Marcus porta une main à son visage. Rufo avait raison.

— Comme l'autre fois, commenta le Cafard. C'est moi qui te fais cet effet ?

Il rit à nouveau.

Tandis que le pénitencier observait ses doigts tachés de rouge, quelque chose traversa son champ visuel et alla se poser juste sur le sang.

Une petite mouche à la robe d'un bleu métallique.

— Je veux que tu t'en ailles, dit-il. Et ne remets plus les pieds ici.

Rufo était incrédule. L'homme à la cicatrice ne comptait pas le tuer ? Il pouvait vraiment retourner au garage et reprendre ses plans pour la nuit ? Le type qui lui avait écrasé les testicules lors de leur première rencontre semblait sérieux.

— Oui, d'accord, dit-il en cachant son excitation.

Puis, avant que le salaud change d'avis, il tourna les talons et se dirigea vers la sortie. La petite blonde du magasin de téléphonie l'attendait, même si elle ne le savait pas encore.

Une fois seul, Marcus se pencha vers la mouche bleue.

— Allez, petite, ordonna-t-il. Amène-moi à lui.

11

L'essaim stationnait dans le couloir du deuxième étage. Les insectes faisaient la navette entre le plafond et une pièce fermée, en passant sous la porte.

Marcus enfila des gants en latex avant de toucher la poignée. Quand la porte s'ouvrit, un nuage noir s'abattit sur lui. Il le chassa, et c'est alors qu'il sentit l'odeur nauséabonde. Il recula, comme tiré par une main invisible. Il se couvrit le nez et la bouche avec la manche de sa veste et avança à nouveau, tentant de forcer le mur d'insectes. Il dépassa la barrière et entra.

Une petite salle de bains. Elle était sombre, mais les volets de la seule fenêtre n'étaient que tirés, de façon à laisser un espace pour les mouches bleues.

Le corps était dans la baignoire. Mains et pieds liés. Nu. La description de Rufo était correcte. Le Fabricant de jouets était gros et chauve. Et il était couvert d'une substance visqueuse et jaunâtre sur laquelle grouillaient des milliers d'insectes et de larves. Le miel des morts.

Calliphora erythrocephala, mieux connue comme la « mouche bleue ».

Marcus avait tout de suite reconnu ce spécimen de faune cadavérique attiré par le sang de l'épistaxis qui avait coulé sur sa main. Puis il lui avait suffi de le suivre.

Le Fabricant de jouets avait connu la pire de toutes les tortures : la poupée de cire.

Une loi du talion atroce mais, dans le fond, élégante. Après l'avoir attaché, on aspergeait le condamné de lait sucré. Puis on le laissait dans une pièce la fenêtre ouverte. Et on attendait les insectes.

La mouche bleue prenait l'odeur du lait réchauffé par la chaleur de la peau pour une odeur de cadavre. Elle déposait ses œufs sur la chair. Au bout de quelques jours ils s'ouvraient, libérant les larves qui se nourrissaient du malheureux, tant qu'il était encore en vie.

Après avoir installé le bain de mouches pour le Fabricant de jouets, l'assassin était descendu et avait attendu devant l'ordinateur que l'évêque Gorda active le collier. Une fois connecté au réseau, il l'avait étranglé à distance.

Mais, entre-temps, il avait également essayé de tuer Marcus, l'enfermant dans le Tullianum.

Le pénitencier se demanda à nouveau ce qu'il avait à voir dans cette histoire. Quel était son rôle ? Pourquoi ne se souvenait-il de rien ?

Trouve Tobia Frai.

Pour l'instant, il n'avait trouvé qu'un terrible simulacre de l'enfant. Il cessa de s'interroger au moment où il distingua une marque sur le cadavre du Fabricant de jouets.

Comme l'évêque, il portait le tatouage de l'éclipse, un cercle bleu.

Il aurait voulu chercher d'autres anomalies. Toutefois, la lumière était de plus en plus pâle par la fenêtre. Bientôt il ferait noir. *Nous y sommes*, pensa-t-il : *le crépuscule*. Il ne pouvait rester bloqué là, il fallait partir. Son instinct le freinait pourtant. N'ayant pas compris le sens du téléphone sans fil à côté de la poupée, il espérait que l'assassin ait laissé d'autres signes. *Cela ne peut pas finir ainsi, cela ne peut pas finir ainsi.*

Il veut me conduire ailleurs.

Il s'agenouilla devant le cadavre. S'il y avait vraiment quelque chose, c'était ici qu'il fallait le chercher. Cela n'avait aucun sens que l'assassin l'ait mis ailleurs. Ainsi il prit son courage à deux mains, plongea son bras dans la baignoire et fouilla le fond, où s'était accumulée une couche de gras mielleux, résidu de la putréfaction. Il contint sa nausée et ferma les yeux.

Au bout d'un moment, il sentit quelque chose. Il ne s'était pas trompé.

Il reconnut une boule de papier. Elle ne pouvait pas être là depuis longtemps, pensa-t-il, sinon les acides de la décomposition l'auraient attaquée. Il l'ouvrit. Une autre page du mystérieux carnet. Il reconnut à nouveau son écriture. Aucune référence à Tobia Frai.

Cette fois, il y avait un autre nom.

12

Battista Erriaga se tenait immobile devant le spectacle qu'offraient les baies vitrées de son appartement donnant sur les Forums impériaux.

De grands nuages rougeâtres planaient sur Rome, chargés d'une pluie de sang. Les ombres commençaient à s'allonger sur la ville, préparant l'invasion des ténèbres.

Le cardinal jouait avec la bague pastorale à son annulaire. Il se demandait si tout ceci n'était pas la juste punition pour tous les péchés de l'humanité. Y compris les siens.

Quelques heures plus tôt, après le passage de Marcus, la découverte « officielle » du corps sans vie d'Arturo Gorda avait été mise en scène. Erriaga avait décidé que, quand il croiserait à nouveau le pénitencier, il le féliciterait pour son excellent travail. Aucune trace du « collier du plaisir », aucun corps nu.

Toutefois, il s'était passé autre chose.

Le cardinal avait mis des années pour s'entourer de luxe et de privilèges. Son appartement était l'emblème du pouvoir conquis à la force du poignet, parfois avec acharnement. Les meubles d'antiquaire, les tableaux du Guerchin et de Ghirlandaio et tous ses autres biens précieux auraient dû constituer un refuge, une consolation. Pourtant, à ce moment-là, ils lui rappelaient uniquement qu'il pouvait tout perdre.

La prophétie de Léon X. Les signes.

Par les fenêtres, il avait vu le drapeau noir exposé sur le toit du palais de la Chancellerie. Un signal secret qui annonçait la convocation extraordinaire du Tribunal des âmes.

Erriaga s'apprêtait donc à sortir de chez lui et à braver la fin du monde. Son secrétaire personnel l'avait informé de la menace d'une crue du Tibre.

Il ne parvenait pas à calmer son esprit. Qu'est-ce qui pouvait justifier de ne pas reporter la tenue de la sainte cour à la fin du black-out et de la tempête ? Quelle faute grave avait été confessée ? Pourquoi était-il nécessaire de décider à la hâte si le pardon devait être accordé ou non ? Il ne voyait qu'une seule réponse.

Le péché qui ne peut attendre est celui d'un pénitent sur son lit de mort.

La prophétie de Léon X. Les signes.

Non. L'Avocat du diable ne pouvait pas se défiler devant son devoir.

Sandra avait allumé toutes les bougies qu'elle avait chez elle parce qu'elle ne voulait pas que l'obscurité la prenne par surprise. Il n'y avait pas de courant pour alimenter le chauffe-eau, aussi elle avait pris une douche glacée. Les petits conforts de la vie quotidienne étaient en partie suspendus ; le pire étant la rapidité avec laquelle c'était arrivé, sans possibilité de s'adapter à ce nouvel ordre des choses.

Pourtant, avant de s'avouer vaincue, elle avait pris une décision. Si la fin du monde arrivait réellement, alors elle l'accueillerait comme il se devrait.

Elle avait donc choisi une robe élégante dans son armoire – un fourreau noir, à laquelle elle assortit des escarpins avec douze centimètres de talon. Sa lingerie était en dentelle – soutien-gorge à balconnet, bas et string. Puis elle s'était installée devant le miroir de la console achetée sur un marché à son arrivée à Rome pour se préparer. Elle s'était étalé une crème sur le visage, puis du fond de teint. Elle était ensuite passée aux yeux – crayon, ombre à paupières et mascara sur ses longs cils. Enfin, elle avait fait courir la pointe douce du rouge à lèvres sur sa bouche charnue.

Tout en parachevant son maquillage, elle repensa à sa conversation avec Crespi dans l'escalier anti-incendie de la préfecture de police.

Il y avait une photo d'elle dans le téléphone retrouvé dans le taxi : elle n'arrivait pas encore à y croire.

« Vitali se demande en quoi tu peux être impliquée, avait dit le commissaire en fumant sa deuxième cigarette de la journée. En fait, il considère que l'assassin a voulu nous annoncer qui est la prochaine victime… C'est pour ça qu'il t'a donné ta journée. Ce salaud veut t'utiliser comme appât. »

Au lieu de penser au danger qu'elle courait, Sandra tenta de faire le compte mathématique de son existence. Combien de cigarettes fumait le commissaire Crespi ? Une par jour. Peut-être avait-il l'illusion d'éloigner le cancer, mais mises bout à bout cela faisait toujours trois cent soixante-cinq par an. Combien de fois s'était-elle maquillée devant un miroir? En moyenne une fois par semaine depuis qu'elle était adolescente. Combien de paires de chaussures avait-elle possédées? Combien de robes du soir? Combien de cadavres avait-elle photographiés quand elle travaillait pour l'équipe scientifique? Et, au contraire, combien de ses anniversaires avaient été immortalisés par une photo? Combien de fois était-elle allée au cinéma? Combien de livres avait-elle lus? Combien de pizzas avait-elle mangées? Combien de glaces? On n'avait jamais l'impression de faire beaucoup de fois les choses. Et puis, quand on les mettait bout à bout, cela faisait un nombre inimaginable.

Or, ce nombre était la vie.

Combien de fois avait-elle prononcé le nom de Marcus en secret dans son esprit? Combien de fois s'étaient-ils rencontrés lors des dernières années? Combien de mots s'étaient-ils dits? Et combien de baisers avaient-ils échangés?

Juste un.

Derrière les nuages le soleil descendait vers l'horizon et la policière constata que, au moment où elle était contrainte de faire le bilan de sa vie, elle était seule.

Les personnes seules n'ont rien à perdre, se dit-elle. Elle glissa dans son sac son insigne et son pistolet. Une rafale de vent entra par une fenêtre ouverte et souffla les bougies. Satisfaite, Sandra Vega jeta un dernier coup d'œil à son image qui s'éteignit dans le miroir.

Si Vitali voulait un appât, alors elle était prête à mourir.

Devant les écrans de la fourmilière, tout le monde était en attente.

Des simples agents au chef de la police : la même tension les habitait tous. Depuis son bureau, De Giorgi surveillait tout comme un capitaine de vaisseau. À côté de lui, le préfet de police Alberti et le commissaire Crespi des homicides. Plus Vitali observait les trois hommes, plus il les méprisait.

Il les avait mis en garde, mais ils n'avaient pas voulu écouter.

Pour comprendre qui avait raison, il fallait attendre 16 h 11. Ensuite, le crépuscule priverait Rome de lumière et la seconde phase de l'état d'urgence démarrerait.

Le couvre-feu.

À partir de ce moment, tous les systèmes de sécurité seraient mis à l'épreuve. Bientôt, ils découvriraient aussi si le plan de prévention mis en œuvre avait fonctionné. La réponse était là, sur l'écran devant eux. Les trois mille caméras qui, telles de petites sentinelles, veillaient sur les rues et les places étaient déjà passées en mode nocturne. Les objectifs à infrarouge renvoyaient les images d'une Rome insolite, dévorée par le noir. Et déserte.

Une ville fantôme.

Hormis ceux des ministères, des casernes, des commissariats et des grands hôtels, les générateurs étaient très peu nombreux. En outre, le carburant des pompes à essence et les autres sources d'énergie avaient été confisqués pour assurer le fonctionnement des véhicules d'urgence et des centres anticrise répartis dans les différents quartiers.

La population était désarmée.

C'est la dictature de la technologie, pensa Vitali. Les gens en expérimentaient les conséquences. *Elle simplifie l'existence mais, en échange, elle nous soumet. On croit avoir le contrôle mais on est esclave.* Maintenant, ils étaient libres. Or la liberté leur faisait peur. Ils ne savaient pas gérer cette nouvelle situation, aussi ils devenaient des dangers les uns pour les autres.

16 h 11.

La frontière venait d'être franchie.

Au vu de ce qui apparaissait sur les écrans, le couvre-feu avait été respecté. L'ordre de rester chez soi avait été reçu, aucune horde en furie n'était descendue dans les rues. Les pouvoirs extraordinaires confiés aux forces de police avaient été dissuasifs pour les malintentionnés. Bien sûr, personne ne pouvait dire ce qui se passait dans les habitations, mais c'était déjà un succès.

Pour célébrer cette victoire, un applaudissement libératoire retentit dans la fourmilière.

Le chef de la police sembla contrarié, mais finit par s'unir aux autres. Le préfet et Crespi l'imitèrent. Vitali, lui, resta immobile. À la différence de ses supérieurs, il restait superstitieux. La nuit était longue et l'aube trop lointaine. Un agent attira son attention. Il y avait un appel radio pour lui.

— Inspecteur, Sandra Vega vient de sortir, annonça la voix à l'autre bout de la fréquence.

Vitali n'en fut pas étonné. Après tout, il avait placé une patrouille en bas de chez elle parce qu'il s'y attendait.

— D'accord. J'arrive tout de suite.

Au moment où il raccrocha, il s'aperçut que l'applaudissement dans la salle perdait de sa vigueur. Il regarda autour de lui et ne vit que des visages hébétés.

— Que se passe-t-il ? demanda quelqu'un, vite imité par les autres.

Le chef de la police s'assombrit soudain. Incrédules, paralysés, tous fixaient toujours leurs ordinateurs, mais avec une expression différente. Vitali se tourna vers le mur d'écrans.

Un à un, ils s'éteignaient.

— Comment est-ce possible ? demanda De Giorgi, furieux. Les batteries qui alimentent le réseau fonctionnent, n'est-ce pas ?

Personne ne lui répondit : ils vérifièrent sur leurs terminaux la raison de ce problème soudain.

Ils croient que c'est un souci technique, pensa Vitali. *Pauvres naïfs. Là, dehors, on est en train de casser les caméras.* Telle était la vérité qu'ils n'arrivaient pas à accepter.

— Mettez-moi immédiatement en contact avec une patrouille, ordonna le préfet de police.

Peu après, les haut-parleurs diffusèrent la voix d'un agent.

— Ici piazza del Popolo, dit-il en tentant de couvrir les bruits de fond. La situation nous a échappé. Nous avons besoin de renforts. Tout de suite !

On entendit un coup sourd. Puis il se passa quelque chose et la voix se tut.

— Agent, l'appela le préfet. Agent, répondez-moi.

À la différence des autres, Vitali avait l'air amusé. Ce n'était pas tous les jours qu'on assistait à un tel spectacle. La destitution de l'autorité constituée. La fin des règles. La reddition de la civilisation.

Dans la radio toujours allumée, ils entendirent un son obscur, effrayant. Vitali pensa aux sabots des chevaux qui annonçaient l'arrivée des cavaliers de l'Apocalypse. Ce bruit était fait de cris jubilatoires mêlés à des hurlements de terreur. D'explosions lointaines, de verre brisé et d'éclats métalliques. De feu et de bataille. Personne dans la salle ne l'oublierait jamais. Personne ne savait quoi faire.

Nous y sommes, pensa l'inspecteur. La fin de Rome venait de commencer.

LE CRÉPUSCULE

1

14 heures et 3 minutes avant l'aube

La soirée était fraîche. Les orages s'étaient calmés et il flottait un doux parfum d'humidité.

Après sa journée à la fourmilière, l'inspecteur Vitali était heureux de prendre l'air. Il avait enfilé un imperméable beige sur son costume gris clair. Il arrangea sa cravate bleue pour qu'elle soit parfaitement perpendiculaire à sa boucle de ceinture. Puis il inspira, profitant de ce moment de calme.

Cette partie de la ville était tranquille : les troubles se concentraient autour de la piazza del Popolo. Les forces de l'ordre avaient accouru à l'endroit où se déroulait la guérilla, ici on ne voyait personne.

Vitali sortit une torche électrique de sa poche et s'aventura dans la rue baignée par la pluie. Dans le silence, ses mocassins marron produisaient un bruit musical. L'inspecteur se sentait comme le protagoniste de *La Dolce Vita* de Fellini. Il aurait pu se diriger vers la fontaine de Trevi pour retrouver une blonde à la beauté fatale qui se baignait en robe du soir. Mais on venait de lui rapporter que le monument était assailli par des tagueurs occupés à repeindre le travertin blanc à la bombe de peinture.

Et puis, il avait un autre rendez-vous.

Tandis qu'il avançait dans le noir, un homme armé d'un couteau surgit.

— Ton portefeuille, ordonna-t-il.

Vitali le regarda et comprit : il connaissait ce regard vide, absent. *Alors ça a vraiment commencé*, se dit-il. C'était incroyable, cela arrivait vraiment.

Sans hésiter, il sortit son arme de service de son imperméable et tira. Le coup repoussa l'homme, qui vola en arrière et tomba à terre avec un bruit sourd. L'inspecteur s'approcha du cadavre, éclaira son visage de sa torche et l'observa.

Le bon côté de l'anarchie, c'était qu'elle valait pour tout le monde, y compris les forces de l'ordre.

Il reprit son chemin. Sandra Vega ne l'attendrait pas. Les agents qui la filaient l'avaient renseigné sur sa position. Vitali les intercepta via dei Coronari et les congédia d'un signal de torche. Puis il suivit la femme, une cinquantaine de pas derrière elle. Du peu qu'il distinguait dans l'obscurité, Sandra était vêtue de noir, au bruit il devina qu'elle portait des talons. Elle laissait des effluves de parfum derrière elle. Il se demanda où elle allait, aussi élégante et, surtout, aussi tranquille.

Arrivée au milieu de la fameuse rue des antiquaires, Sandra Vega tourna à droite. Vitali pressa le pas et se pencha au coin de la rue : c'était une impasse et la femme avait disparu. Mais il eut le temps de remarquer le rayon de lumière qui filtrait d'une porte, refermée immédiatement. Il s'approcha et attendit un moment, puis frappa.

Un homme en costume cravate vint lui ouvrir et le dévisagea de la tête aux pieds.

— Oui ?

— Je suis avec une amie, elle vient d'arriver, mentit Vitali.

— Vous avez votre invitation ?

— Euh, non.

— C'est une fête privée, on n'entre que sur invitation.

Vitali n'avait ni l'envie ni le temps de discuter, mais décida tout de même de rester courtois. Certain que son insigne de policier ne servirait à rien, après le lui avoir montré il s'arrangea également pour que l'autre aperçoive son arme et comprenne à quel point il était déterminé à passer.

— Je ne veux pas créer de problèmes. Je veux juste m'amuser un peu.

L'autre y réfléchit un moment, puis le laissa entrer.

Il lui indiqua le chemin et l'inspecteur emprunta un long couloir de service. Il reconnut bientôt le célèbre hôtel de luxe et comprit qu'il était arrivé par une entrée secondaire. Il déboucha bientôt dans le lounge. L'atmosphère était ouatée. Bougies partout, musique de fond. Il se sentit décalé, parce qu'il était le seul homme à ne pas porter de smoking. Les femmes étaient en robe du soir, elles portaient avec désinvolture des bijoux précieux et souriaient. Tandis que le monde, dehors, avançait avec détermination vers le chaos, ici les gens gardaient leur classe et leurs bonnes manières. *Pourquoi n'est-ce pas toujours ainsi ?* se demanda Vitali. Des couples conversaient sur des canapés, à l'écart, ou au bar. Ils buvaient leurs cocktails et parlaient de la pluie et du beau temps à voix basse, pour ne pas déranger les autres.

Il aperçut Sandra de dos, les cheveux lâchés sur les épaules. Elle se trouvait dans le hall, devant la loge du concierge. Il la vit récupérer deux clés et se diriger vers un coin de la grande salle. La policière s'arrêta à côté d'un petit salon vide. Au lieu de s'asseoir, elle fit discrètement glisser quelque chose sur une table basse. Puis elle monta l'escalier. Vitali en profita pour aller voir ce qu'elle avait déposé en toute nonchalance.

Une deuxième clé de la chambre. Alors l'inspecteur comprit qu'il s'était trompé : la véritable fête avait lieu dans les étages.

Elle avait commencé un an plus tôt, alors que son veuvage devenait trop frustrant pour ses trente ans.

Elle avait appris l'existence de ce lieu par hasard. La première fois, c'était en écoutant involontairement la conversation de deux femmes dans le vestiaire de la salle de sport. Cela ressemblait à un ragot, elle n'y avait pas prêté attention. Puis elle avait rencontré quelqu'un qui le fréquentait. Elle n'avait pas posé trop de questions, pour ne pas sembler intéressée, mais cela l'avait intriguée. Après une rapide enquête pour découvrir de quoi il s'agissait exactement, un soir elle avait trouvé le courage d'aller voir de ses propres yeux.

Tout se passait avec beaucoup de discrétion. La seule obligation était la robe du soir. Les fêtes avaient lieu une fois par mois et, pour l'occasion, l'hôtel fermait au public. Les hôtes arrivaient par l'entrée secondaire, puis ils étaient libres de faire ce qu'ils voulaient. Ils pouvaient passer la soirée au bar ou dans le lounge, parlant aimablement avec des inconnus. Ou bien décider de s'isoler avec quelqu'un dans une des chambres.

Sandra avait mis au point une technique.

Elle se faisait remettre deux clés de la même chambre par le concierge et en déposait une quelque part au hasard. Sur le comptoir du bar, dans une des toilettes. Puis elle montait, se déshabillait, éteignait la lumière et attendait.

Parfois, il ne se passait pas longtemps avant que la porte s'ouvre et se referme. Elle entendait les pas sur la moquette, puis sentait une main qui la caressait. Certains se contentaient de cela, d'autres montaient sur elle et la pénétraient. Ils parlaient, ou bien restaient silencieux. Il y avait ceux qui faisaient tout lentement et ceux qui jouissaient vite. C'étaient des hommes, mais parfois aussi des femmes. Une, en particulier, s'était montrée très douce : Sandra aurait aimé qu'elle revienne, mais ce n'était pas arrivé. L'important pour elle était de ne pas voir leur visage, de ne pas imaginer leur aspect. Elle n'aurait pas supporté de se faire courtiser en bas, dans le lounge. Tant de mots pour arriver à un seul but. Cet échange de besoins secrets, inavouables, lui suffisait. Ensuite, chacun pouvait retourner dans son monde sans rien savoir de l'autre.

Or un jour, cela s'était passé différemment.

Quelqu'un était entré dans la chambre mais ne s'était pas approché du lit. Il était resté là, devant la porte fermée. Elle entendait sa respiration et savait que ses yeux la voyaient, même dans le noir. Puis, au bout de quelques minutes, il était parti.

Cela s'était répété. Chaque fois, le mystérieux invité faisait un pas de plus dans la chambre. Elle en avait compté six. Mais il finissait toujours par disparaître sans la toucher.

Grâce à lui, elle avait compris quelque chose qu'elle n'imaginait pas. C'est-à-dire la réelle motivation qui la poussait à fréquenter ce lieu. Ce n'était pas une perversion. C'était un traitement. Certaines thérapies sont destructrices, en plus d'être humiliantes. Mais parfois il faut laver le mal par le mal. Sandra Vega était lasse de son image dans le miroir. Elle avait besoin de contrevenir aux règles, de devenir radicalement différente de la personne que tout le monde connaissait, qu'elle-même connaissait. Qu'est-ce que cet inconnu voyait en elle ? Elle aurait voulu le savoir : elle était sûre qu'il savait la vérité.

La soirée du black-out était parfaite pour une nouvelle rencontre, c'était pour cela que Sandra avait choisi de la passer à l'hôtel. Arrivée dans sa chambre habituelle, elle s'était préparée, comme toujours, à vivre une aventure avec le hasard. Le monstre qui avait tué le pauvre toxicomane sur la vidéo aurait pu entrer. Elle s'en serait aperçue parce qu'il lui aurait donné une hostie noire. Sandra se rappela l'effet sur la victime, qui s'était mise à parler en araméen. Comment aurait-elle réagi, elle ?

— Viens me prendre, dit-elle à l'obscurité.

La porte s'ouvrit, puis se referma. Il y eut des pas. Ce détail lui suffit pour reconnaître son mystérieux prince du silence, l'homme qui ne la touchait pas. Mais cette fois il en fit plus de six : il s'aventura jusqu'au lit. Il ne trouvait pas encore le courage de la toucher, toutefois Sandra eut une sensation nouvelle. Ce n'était jamais arrivé avant : elle eut peur. Alors elle brisa la règle qu'elle s'était imposée et dit :

— Tu es en danger.

Parce que, d'une certaine façon, elle avait toujours su qui était le visiteur silencieux.

— Toi aussi, lui murmura Marcus.

2

Ils étaient troublés.

Pourtant, aucun des deux ne parla de la raison pour laquelle il espérait trouver l'autre là. Sandra profita de l'obscurité pour se rhabiller.

— J'espérais que tu viendrais.

Étant donné sa méconnaissance des relations humaines, Marcus ne sut interpréter la nature de cet espoir. Était-elle inquiète pour lui ou avait-elle envie de le voir ?

— Il faut filer au plus vite, dit-elle. Je crois que quelqu'un me suit.

— Qui ?

— Dans la meilleure des hypothèses, un flic casse-pieds. Tu as remarqué quelqu'un de bizarre en venant ici ?

— Décris-le-moi.

— Grand, mince, nez aquilin. Ce matin il portait un costume gris clair, des mocassins marron et une cravate bleue, mais il peut s'être changé.

— Non, je ne l'ai pas vu.

— Il s'appelle Vitali. Il est dangereux.

Aucun des deux ne fit allusion aux circonstances particulières dans lesquelles ils s'étaient retrouvés. Il semblait impossible que, quelques instants plus tôt, Sandra ait été nue, allongée sur le lit. Elle ne lui demanda pas non plus comment il savait qu'elle se trouvait dans cet hôtel. Il n'évoqua pas les précédentes fois où il était venu. La situation était gênante pour tous les deux.

— Tu es sûre que Vitali te suit ?

— Il m'a mis deux agents sur le dos. Puis ils ont disparu, expliqua-t-elle en enfilant ses bas. Mais je crois qu'il a pris le relais.

— Avec tout ce qui se passe en ville, il pourrait avoir changé de programme.

— Je ne crois pas. C'est moi son plan, pour le moment. Il ne m'a pas l'air du genre à lâcher facilement. Il travaille sur une matière très particulière : les crimes ésotériques.

Marcus enregistra l'information.

— Sur quoi enquête ce Vitali ?

Sandra alluma la bougie posée sur la table de nuit. Enfin, ils se regardèrent dans les yeux. Elle eut une sensation étrange, et imagina qu'il en était de même pour lui.

— Son enquête, c'est toi, dit-elle en glissant une main sous le matelas pour récupérer son pistolet, dont elle vérifia la sécurité et le chargeur.

— Tu ne vas pas tirer sur un policier, n'est-ce pas ?

— Je ne sais plus quoi penser. En venant ici, j'ai vu de la fumée monter de la via del Corso. Je ne fais plus confiance à personne.

Marcus lui fit signe de se taire. Il avait entendu quelque chose, un léger bruit qui provenait du couloir. Instinctivement, il éteignit la bougie. Le son se répéta.

On aurait dit le craquement des lattes de parquet sous les pas de quelqu'un.

Dans le couloir de l'hôtel, des lanternes à piles avaient été disposées pour faciliter la déambulation des hôtes. Une lumière ambrée filtrait sous la porte. Marcus et Sandra étaient concentrés sur la fente, dans l'attente que leurs craintes soient démenties. Ils virent une ombre de chaussures avancer lentement et dépasser leur chambre. Mais ensuite, elle revint en arrière et s'arrêta.

Il y avait quelqu'un derrière la porte.

Ils restèrent un moment immobiles.

— La deuxième clé, murmura Sandra. Où l'as-tu mise ?

— Je ne suis pas entré avec la clé, admit-il.

— Mon Dieu, laissa-t-elle échapper.

L'intrus allait ouvrir la porte d'un moment à l'autre, elle le savait. Ils ne pouvaient fuir. Mais rien ne se produisit, pas encore. L'ombre était toujours immobile, comme en attente.

— Pourquoi n'entre-t-il pas ?

— Je ne sais pas.

— La fenêtre, dit-elle en pensant qu'ils avaient peut-être le temps de s'échapper. Il y a un escalier anti-incendie, nous pourrions passer par là.

— Non.

La détermination de Marcus l'étonna.

— Pourquoi non ?

Le pénitencier fixait la porte.

— Nous sortirons par là.

Avant qu'elle puisse dire un mot, il lui prit la main. Elle ramassa son sac et ses escarpins et le suivit, sans savoir exactement ce qu'il faisait.

Le pénitencier ouvrit grand la porte et enjamba les chaussures que Vitali avait laissées sur le seuil pour les berner.

Ils parcoururent le couloir à la hâte, parce que la menace pouvait se cacher dans n'importe quelle chambre. Derrière eux, ils entendirent un bruit de verre brisé. *Il est entré par la fenêtre*, pensa Sandra. *Il nous attendait dans l'escalier anti-incendie.* Marcus accéléra le pas. Elle se rendit compte qu'ils n'avaient aucun endroit pour se cacher et que dans les rues désertes, Vitali n'aurait aucun mal à les trouver.

— Où allons-nous ? demanda-t-elle.

— Dans un endroit sûr. Fais-moi confiance, assura-t-il en sentant la note de crainte dans sa voix.

Vitali se maudit, quand il ne trouva personne dans la chambre. Le truc des chaussures n'avait pas fonctionné. De toute façon, il n'avait pas le choix. Sandra Vega pouvait être armée et il n'avait pas envie de servir de cible. La petite garce était bien plus maligne qu'il ne l'avait imaginé.

Ce n'est pas la prochaine victime, pensa-t-il. *Elle est impliquée. Elle fait peut-être partie de l'Église de l'éclipse, elle aussi.*

L'inspecteur enjamba d'un bond le verre brisé pour ne pas blesser ses pieds nus et se précipita vers la porte ouverte. Arrivé sur le seuil, il pointa son arme, puis regarda dehors. Il vit la policière qui s'éloignait en courant. Un homme la tenait par la main. Qui était-il ? Il fut tenté de tirer, mais se retint. Il enfila ses mocassins et se lança à la poursuite des fuyards.

Ils avaient une certaine avance, mais il pouvait y arriver. Il se retrouva nez à nez avec un autre couple. Pour les éviter il trébucha et manqua de tomber. Il garda son équilibre en se tenant au mur. Il se remit à courir. Quand il tourna à gauche dans le couloir, Sandra Vega et l'homme avaient disparu.

Merde. Deux rangées de portes closes. Ils pouvaient être entrés n'importe où. *Merde.*

Il inspira et expira plusieurs fois, pour se calmer. Puis il rangea son arme dans son étui. La chasse devenait difficile.

Il retourna dans la chambre de Sandra, espérant trouver un indice. Il alluma sa torche. Il se sentait idiot, avec ça dans les mains. Comment faisaient les flics quand il n'y avait pas encore l'électricité ? Cela devait être un enfer. Aujourd'hui, ils avaient l'équipe scientifique, l'ADN, les ordinateurs qui confrontaient des milliers d'indices. Ces progrès rendaient banal l'apport d'une simple lampe torche pour l'enquête. Jusqu'à quelques heures auparavant, Vitali considérait tout cela comme acquis. Maintenant, il ne pouvait plus se le permettre. Personne ne pouvait.

À ce moment-là, il trouva une trace. S'il avait disposé de la technologie pour l'examiner, il aurait exulté. Néanmoins, même comme ça, il pouvait s'en contenter.

Il y avait une tache rouge sur le couvre-lit, toute fraîche. Du sang. Bien. L'homme qui se trouvait avec Sandra Vega pouvait être le type qui saignait du nez.

3

Ils s'appelaient « appartements relais » parce qu'ils offraient un refuge sûr en cas de nécessité. Par exemple, quand on fuyait un danger ou qu'on voulait faire profil bas quelque temps.

Il y en avait un certain nombre à Rome, mais Marcus n'en connaissait que quelques-uns. Cela faisait partie du glorieux passé des pénitenciers. Après la dissolution officielle de l'ordre, advenue des années auparavant pour des raisons que le chasseur des ténèbres n'avait découvertes qu'après son amnésie à Prague, beaucoup de ces habitations de fortune étaient à l'abandon.

Toutefois, dans certaines d'entre elles, on pouvait encore trouver un téléphone analogique avec une ligne sécurisée, un ordinateur connecté à Internet, de la nourriture en conserve et une trousse de secours contenant tout le nécessaire pour se soigner sans faire appel à un médecin. Et bien sûr, des vêtements propres et un lit confortable.

Marcus avait déjà dans le passé utilisé l'appartement relais de la via del Governo Vecchio. Il y avait passé presque un mois, convaincu que quelqu'un était sur ses traces. Préserver le secret de leur identité était la priorité des pénitenciers. Une autre fois, il y était allé pour recoudre une blessure à son bras, après avoir reçu un coup de couteau.

L'immeuble ancien faisait partie des multiples propriétés de l'Église hors des murs du Vatican. Marcus ouvrit la voie avec une lampe torche. Pour arriver jusque-là, ils avaient profité de la pénombre. Il avait été étrange pour lui et Sandra de marcher ensemble dans Rome. Peut-être l'obscurité était-elle la dimension qui leur convenait le mieux.

Le mauvais temps avait repris, ils étaient trempés par la pluie. En pointant la torche sur Sandra, Marcus s'aperçut qu'elle tremblait.

— J'allume le feu.

Restée seule, la policière posa son sac et alla s'asseoir à côté de la cheminée éteinte, les bras autour de ses genoux. En passant la main sur le bras du fauteuil, elle y trouva de la poussière. Depuis combien de temps l'appartement était-il inoccupé ? Marcus revint avec des fagots et du papier. Il les disposa dans la cheminée et peu après les flammes éclairèrent la pièce. Sandra se pencha vers l'âtre, cherchant la chaleur avec ses bras tendus. Il s'assit par terre. C'est alors qu'elle remarqua le sang séché sur sa lèvre. Elle tendit la main pour lui indiquer l'endroit, mais Marcus recula.

— Excuse-moi, dit-elle. Tu souffres encore d'épistaxis ?

— Parfois, répondit Marcus en se nettoyant à la hâte avec le dos de la main. Tu as faim ?

— Oui, admit Sandra.

— Nous devrons nous contenter de quelques boîtes de thon, mais au moins cet endroit est sûr.

— Ça ira très bien.

— Quelle heure peut-il être ?

Sandra regarda sa montre : il était à peine 18 heures.

— Mon Dieu, dehors il fait nuit noire.

— Autrefois à Rome, des frères s'assuraient que les édicules sacrés disséminés dans la ville soient toujours pourvus en bougies et en huile pour les lampes. On les appelait les « illuminaristes ». Leur but n'était pas uniquement dévotionnel. Ils avaient découvert que, grâce à la lumière des flammes, le nombre de crimes diminuait. Les gens se sentaient plus en sécurité et les malintentionnés ne jouissaient pas de la protection des ténèbres. C'est ainsi qu'est née l'idée de l'éclairage public.

— Je ne savais pas, admit Sandra. C'est une belle histoire.

Elle était heureuse quand il parlait. Elle l'aurait écouté pendant des heures devant ce feu qui, peu à peu, la réchauffait.

Ils restèrent silencieux un instant de trop et leurs regards, qui généralement s'effleuraient, ne purent s'éviter.

Marcus brisa l'enchantement.

— Je vais te chercher des vêtements secs.

Avant qu'il s'éloigne, Sandra l'arrêta en lui prenant la main.

— Nous devons parler.

— Je sais, répondit-il les yeux rivés au sol.

Il trouva une boîte de vêtements. Hormis un sweat-shirt à capuche foncé, rien ne pouvait aller à Sandra. Marcus espérait également trouver des chaussures pour remplacer celles en toile blanche qu'il portait, mais il n'eut pas de chance.

Il revint avec le sweat et une couverture. Il apporta également les boîtes de thon, des paquets de crackers et deux petites bouteilles d'eau minérale.

La policière organisa un pique-nique à côté du feu. Ils mangèrent leur repas frugal mais agréable sans un mot.

Marcus aborda le sujet en partant de la fin :

— J'ai trouvé un mot avec ton nom écrit dessus à côté du cadavre d'un homme qu'on appelait le « Fabricant de jouets ».

— Qui l'a écrit ?

— Moi.

Sandra fut abasourdie.

Marcus lui raconta l'épisode du Tullianum : comment il avait échappé à la torture de la mort par inanition, le petit mot trouvé avec la médaille de l'archange Michel. *Trouve Tobia Frai.*

— Comment t'es-tu retrouvé là-bas ?

— C'est bien le problème : je ne m'en souviens pas. Peut-être que je suivais une piste et que j'ai sous-estimé le danger que je courais.

— Une amnésie transitoire.

— Si seulement je me souvenais de l'affaire dont je m'occupais, ce serait beaucoup plus simple, maintenant.

— As-tu découvert qui est Tobia Frai ?

— Oui. Mais je t'expliquerai dans un petit moment.

Il avait décidé de contrevenir aux ordres de Battista Erriaga et à son serment concernant le secret des pénitenciers. Il lui parla de l'évêque Arturo Gorda, du « collier du plaisir » avec lequel il avait été tué à distance, des chaussures en toile blanche identiques aux siennes, du Fabricant de jouets dévoré vivant par les mouches. Et, uniquement à la fin, de la poupée humaine.

— La reproduction fidèle d'un enfant disparu il y a neuf ans du côté du Colisée, dont on n'a jamais rien su. Son nom était Tobia Frai. L'évêque Gorda possédait un vieux journal reportant la nouvelle de cette disparition.

Marcus omit uniquement la partie de l'histoire impliquant Cornelius Van Buren. La présence d'un tueur en série prisonnier au Vatican était le seul secret qu'il ne pouvait pas dévoiler. Il garda également pour lui l'histoire de la bulle de Léon X et le lien possible avec les tatouages, le cercle bleu découvert sur les deux victimes.

— Des chaussures, des pages arrachées à un mystérieux calepin, des techniques de torture utilisées pour tuer, la disparition d'un enfant il y a neuf ans, récapitula Sandra pour s'assurer qu'elle avait bien compris. Nous avons pas mal d'éléments.

— Nous avons ? demanda Marcus. Je ne veux pas t'impliquer dans cette histoire.

— Même si tu ne t'en souviens pas, tu as écrit mon nom sur un papier. Et puis, celui qui est à l'origine de tous ces morts s'en est déjà occupé. Ce salaud a placé une photo de moi dans la mémoire d'un téléphone.

— De quoi parles-tu ?

— Hier soir…, commença Sandra avant de s'arrêter net. Oh, mon Dieu, on dirait que ça fait une éternité… Quoi qu'il en soit, hier soir un chauffeur de taxi a
retrouvé un téléphone oublié dans son véhicule. Dedans,
il y avait une photo de moi. Mais aussi une vidéo ama-
teur où un type tuait un toxicomane en lui faisant ingérer
de la soude caustique. Ça t'évoque quelque chose ?

Une torture, pensa immédiatement Marcus.

— L'assassin a fait avaler une hostie noire à la victime et elle s'est mise à parler en araméen ancien, invo-
quant un certain « Seigneur des ombres », poursuivit
Sandra. Et il avait un tatouage étrange sur l'avant-bras.

— Un cercle bleu, anticipa Marcus malgré lui.

Sandra le regarda fixement.

— Tu as trouvé le même sur tes victimes, n'est-ce pas ?

Marcus remarqua qu'elle était déçue qu'il le lui ait
caché.

— Tu n'aurais pas compris, tenta-t-il de se défendre.

— Quoi donc ? L'histoire du pape Léon X ? Les
membres de l'Église de l'éclipse qui, les nuits où la
lune était recouverte, s'adonnaient à d'étranges rituels ?

De toute évidence, Sandra en savait plus que lui.

— Comment as-tu découvert tout ça ?

— Un ami commissaire me l'a dit, de façon confidentielle, dit-elle en pensant qu'elle en serait éternellement
reconnaissante à Crespi, qui avait essayé de la protéger.
Il m'a aussi expliqué que Vitali cherche des réponses
à ces histoires ésotériques, c'est une sorte d'obsession,
pour lui.

Marcus ne savait pas quoi dire.

— À l'hôtel tu m'as dit que j'étais en danger.
Pourquoi ?

— Parce que sur le maudit téléphone du taxi, en plus de la vidéo et de la photo de moi, il y avait ton sang. Du sang d'épistaxis.

Marcus saisit une bouteille d'eau et se leva. Il déambula dans la pièce. Les ombres des flammes de la cheminée semblaient le suivre, se glissant entre ses jambes, irrespectueuses.

— Quelqu'un est en train d'essayer de nous coincer, dit-il au bout d'un moment.

— Qui ?

— L'homme qui a torturé à mort ton drogué, puis l'évêque et le Fabricant de jouets.

— Et qui a essayé de t'éliminer au Tullianum, lui rappela Sandra.

— Je pense qu'il s'est procuré mon sang après m'avoir assommé, puis il l'a placé sur le portable, comme une sorte d'« assurance » : cela donnait à la police un indice pour me chasser, au lieu de le chasser lui.

— C'est certain, décréta Sandra après l'avoir écouté avec attention. Il y a quelqu'un derrière cette histoire.

— Je pense que oui, j'en suis convaincu depuis le début. Je ne connais pas son but, mais il a tué de façon délibérément brutale trois membres de l'Église de l'éclipse. Je suis de plus en plus persuadé qu'il m'a laissé une chance de survivre, mais je ne sais pas pourquoi. Sinon, pourquoi me faire avaler la clé des menottes ? Il avait besoin de moi pour mettre Vitali sur une fausse piste.

La théorie était plausible.

— Le téléphone du taxi servait précisément à cela. Peut-être que l'enquête dont tu ne te souviens pas est la même que celle de l'inspecteur : vous lui donniez la chasse, à lui. Il a eu l'occasion de se débarrasser de vous, faisant d'une pierre deux coups, et il l'a saisie au vol : dérouter Vitali et faire de toi une proie.

— Et il t'a impliquée pour que tu conduises le policier jusqu'à moi.

Sandra s'assombrit. Maintenant, c'était clair. Elle se rappela les mots de l'inspecteur pour le décrire la première fois : « Nous avons affaire à une figure criminelle totalement nouvelle, différente de celles que nous connaissons. Bien plus perverse et dangereuse. »

Bien plus perverse et dangereuse, se répéta Sandra, avant de s'adresser à nouveau à Marcus :

— Il a une mission à accomplir et il ne veut pas être arrêté.

— Oui, mais laquelle ?

La policière prit son sac et fouilla à l'intérieur.

— Voilà ce qu'on va faire : on va noter tous les éléments que l'on a et les analyser un par un.

— Il n'est pas prudent d'écrire les choses.

— Ne sois pas absurde, le reprit-elle avec un regard amusé : avec tout ce qui se passe dehors cette nuit, on devrait s'inquiéter de quelques notes sur un assassin sans scrupule ?

Le pénitencier, bien que doutant que ce soit le choix le plus sage, céda.

Sandra trouva un papier et un stylo et récapitula :

— Trois victimes : l'évêque, le Fabricant de jouets et un drogué dont nous ignorons l'identité.

Puis elle écrivit une liste des indices.

Méthode de crime : anciennes pratiques de torture. Chaussures en toile blanche (Marcus et l'évêque Gorda). Hostie noire (drogué).

Tatouage en forme de cercle bleu : Église de l'éclipse.
   Sacrifices de victimes innocentes.
Black-out – Léon X.
Calepin mystérieux.
Tobia Frai.

Quand elle eut terminé, elle tendit la liste à Marcus pour qu'il vérifie qu'il ne manquât rien.

— Mon amnésie, dit-il immédiatement.

— J'ai considéré que c'était un élément accidentel. Je ne pense pas que cela faisait partie du plan du meurtrier, il ne pouvait pas te la causer. Même si c'est une chance pour lui que tu ne te rappelles pas quelle piste tu suivais avant ce matin.

— Je voudrais tout de même que tu l'ajoutes. Je ne sais pas pourquoi j'ai écrit ces notes avec ton nom et celui de l'enfant disparu. Cela ne fait pas partie de ma méthode.

— C'est une anomalie, convint Sandra.

Elle se souvenait bien de la méthode de Marcus, parce qu'elle l'avait vu à l'œuvre dans le passé et elle en avait été bouleversée. En bas de la liste, elle ajouta :

Élément accidentel : amnésie transitoire de Marcus.

— Bien, d'où repart-on ? demanda-t-elle ensuite.

— L'enfant, répondit le pénitencier. Sa disparition, c'est tout ce que nous avons. Il faut comprendre le rapport avec l'Église de l'éclipse.

Trouve Tobia Frai.

— Il s'agit d'une affaire irrésolue. La piste est froide, désormais. Les indices ont dû s'évaporer, les témoignages seront gâchés par de faux souvenirs.

— Pourtant, à l'époque on avait demandé à quiconque se trouvait dans les alentours du Colisée au moment de la disparition d'envoyer films et photos à la préfecture de police, précisa Marcus, rapportant ce qu'il avait lu dans le vieux journal. Il s'agissait d'un lieu très fréquenté, un après-midi de printemps : l'espoir des enquêteurs était de reconstruire ce qui était arrivé à l'enfant grâce à des images prises au hasard par les passants et les touristes.

La policière réfléchit un moment.

— Ça ne sera pas simple, mais je sais peut-être où commencer la recherche : il existe des archives spéciales pour les affaires dans ce genre… Mais comment y arriver, avec le chaos qui a envahi les rues de Rome ?

Marcus savait, lui.

4

Sandra Vega détestait les rats.

Depuis son enfance, ils étaient son cauchemar. Une fois, à Milan, sa ville natale, elle en avait vu un gigantesque qui, en plein jour, avait agressé un pauvre pigeon et l'avait dévoré. Elle se rappelait très nettement la scène. Aussi, en avançant avec Marcus dans les égouts de Rome pour atteindre son but, elle était constamment en alerte, craignant d'en voir surgir un.

Le sous-sol de la ville était un dédale où se mêlaient des tuyaux en tout genre, des canaux d'évacuation et des précieux résidus du passé – catacombes, restes de vestiges antiques et même des cimetières. Sandra était d'avis que Rome aurait dû être un grand musée, préservé avec rigueur, non contaminé par l'ingérence moderne. Le fait que des millions de personnes vivent dans ce musée lui semblait tout simplement absurde.

Le pénitencier évoluait avec désinvolture dans les tunnels. Il s'en était souvent servi pour se déplacer d'un point à un autre sans être dérangé. Il aurait même pu éteindre sa torche et avancer dans le noir. À un moment, ils débouchèrent dans une grande salle. Marcus leva sa lampe pour montrer à Sandra la magnificence d'une voûte ornée de fresques.

— Qu'est-ce que c'est que cet endroit? demanda-t-elle, fascinée par les scènes de repas et de libations.

— Une villa patricienne, expliqua-t-il avant de lui indiquer un endroit précis : Tu vois cet homme et cette femme? C'étaient les maîtres de maison.

Deux jeunes mariés, dépeints en train de ramasser des fruits dans un verger pour les offrir à leurs hôtes.

— Personne ne connaît leur nom, précisa Marcus. Néanmoins, des milliers d'années plus tard, ils continuent de nous sourire et de nous montrer à quel point ils étaient heureux.

Il y avait quelque chose de miraculeux dans l'explication du pénitencier. Sandra ne put s'empêcher de les comparer, elle et Marcus, aux deux jeunes gens. Ils n'avaient jamais pu être heureux ensemble. Peut-être n'était-ce pas leur destin. Les quelques fois où ils s'étaient rencontrés, cela avait été à cause de quelque chose de mauvais.

— Il faut y aller, l'exhorta Marcus avant de baisser à nouveau sa torche, replongeant les fresques et les visages dans l'obscurité.

Ils poursuivirent jusqu'à ce que le tunnel débouche sur un mur.

— Et maintenant? demanda Sandra.

— Maintenant, il faut remonter.

Ils se hissèrent sur une échelle métallique et débouchèrent via San Vitale, à quelques dizaines de mètres de la préfecture de police. Dans les garages, les voitures de police, toutes sirènes allumées, allaient et venaient sans cesse. Sandra tira Marcus par la veste et ils se cachèrent dans un coin. Dès que la voie fut libre, la policière releva sa capuche et, suivie du pénitencier, traversa la rue jusqu'au bâtiment en face, le siège des archives de la police scientifique. Bien qu'elle ait demandé à être mutée de l'unité des enquêteurs photo, Sandra avait conservé les clés. Elle pria pour qu'ils n'aient pas changé la serrure entre-temps. Quand la clé tourna sans difficulté, elle poussa un soupir de soulagement.

L'édifice était vide : dans le chaos de cette nuit particulière, personne ne perdait son temps à éplucher des dossiers.

— Ce qui nous intéresse se trouve en bas, annonça Sandra.

C'était le lieu où étaient archivées les affaires irrésolues.

Un souterrain humide qui hébergeait un labyrinthe de hautes étagères. Selon la légende macabre qui circulait parmi les policiers, on pouvait y entendre les victimes de crimes non résolus hurler le nom de leur bourreau. Sandra ne vérifia même pas si les générateurs de la préfecture fournissaient du courant aux archives. Même au sous-sol, il n'aurait pas été prudent d'allumer la lumière.

— Tobia Frai n'a jamais été retrouvé, son dossier est forcément ici, dit-elle en partant à sa recherche.

Tandis qu'elle passait les rayonnages en revue avec sa lampe torche, Marcus l'observait, en retrait.

— Le voici, annonça la policière.

Il y avait huit boîtes consacrées à Tobia Frai. Sandra en attrapa une et l'apporta jusqu'à la table de consultation. Sur la couverture figurait le sommaire du contenu.

Rapports, relevés, des centaines de fichiers conservés sur des DVD vétustes.

— La façon la plus sûre de bloquer une enquête est de l'étouffer sous une montagne de paperasse, affirma-t-elle, navrée.

Il y avait aussi des photos. Des milliers d'images immortalisées par des touristes ou des passants.

Sous les yeux de Marcus, la policière ouvrit le dossier et trouva un document qui synthétisait l'enquête.

— Il est seulement dit que Tobia Frai s'est évanoui dans le néant et n'a jamais réapparu... Bla, bla, bla... Pas une trace, pas un indice : neuf ans de silence absolu.

Cela semblait impossible. De plus, la disparition avait eu lieu dans un endroit très fréquenté.

— Il y avait sans doute des milliers de personnes, dans la zone autour du Colisée, surtout un après-midi de fin mai. Comment est-il possible que personne ne se soit aperçu de rien ?

Des dizaines d'agents avaient été mobilisés pour visionner les photos et les vidéos envoyées spontanément à la préfecture, mais il n'en était rien sorti.

Sur ces clichés, Tobia apparaissait toujours en compagnie de sa mère, une jeune femme de vingt-six ans prénommée Matilde.

Marcus se taisait, perplexe. Sandra, elle, avait besoin d'exprimer sa frustration.

— Même s'il y a quelque chose là-dedans, nous ne le trouverons jamais. Il faudrait des mois, voire des années.

Elle tourna la page et le déplacement d'air fit glisser un petit morceau de papier sur le sol. Sandra se pencha pour le ramasser : c'était une note avec des nombres. *2844.3910.4455.* La feuille avait été arrachée à un calepin.

Pour la troisième fois en quelques heures, Marcus reconnut son écriture. Il leva les yeux et regarda autour de lui. *Je suis déjà venu ici*, se dit-il. Mais il ne s'en souvenait pas.

— Comment est-ce possible ? demanda Sandra qui avait du mal à y croire. Comment as-tu pu entrer ?

— Je ne sais pas, admit-il, déconcerté. Mais c'est moi qui ai écrit ces nombres, c'est certain.

— Alors que signifient-ils, d'après toi ?

Le cauchemar de l'amnésie revint le tourmenter, mais il ne pouvait pas se laisser distraire – pas maintenant.

— D'accord, essayons de réfléchir. Anomalies. J'ai laissé une note pour envoyer un message, donc si mon intention était de communiquer, la solution ne doit pas être difficile à trouver.

— Les photos, dit Sandra. La seule réponse qui me vient, c'est que cette liste correspond aux numéros des images contenues dans le dossier.

Ils sortirent les huit boîtes de l'étagère et en examinèrent le contenu. Derrière chaque photo il y avait un numéro. Ils trouvèrent enfin les trois clichés signalés et les disposèrent les uns à côté des autres. Sur le premier figurait une femme entre deux âges portant un short fuchsia, un débardeur et une casquette jaune à visière transparente. Elle souriait à l'objectif, posant à côté d'une femme vêtue en centurion romain. Au fond, l'arc de Constantin et une petite foule de visiteurs. Ils cherchèrent parmi eux l'enfant à la casquette avec l'emblème de l'équipe de la Roma. Mais Tobia n'y figurait pas. Cette fois, ce fut Sandra qui remarqua l'anomalie. Un homme qui déambulait, solitaire, dans la foule.

— Je l'ai déjà vu, dit-elle en l'indiquant à Marcus.

— Tu le connais ?

Pas en personne, aurait-elle voulu dire.

— C'est le drogué que j'ai vu se faire tuer sur la vidéo du téléphone.

Exécuté aurait été le terme exact.

— Des années ont passé, depuis cette photo. Tu es sûre que c'est lui ?

L'hostie noire. Les phrases en araméen. Le Seigneur des ombres. L'homme était plus jeune, naturellement, et pas encore défiguré par sa propre dépendance, mais Sandra n'avait aucun doute.

— Oui, affirma-t-elle.

La deuxième photo était une image de groupe. Des pèlerins en sortie paroissiale, sans doute satisfaits d'avoir inclus la visite du Colisée dans leurs visites de lieux sacrés. On apercevait le même homme, de dos, à côté d'une échoppe de souvenirs.

La troisième photo les laissa sans voix. Une image panoramique du célèbre monument qui incluait la station de métro et, surtout, les toilettes publiques. L'homme se trouvait devant.

Et il tenait dans ses bras une *fillette*.

— Qu'est-ce…

Sandra ne comprenait pas.

Marcus si. Mais il aurait préféré ne pas comprendre.

— Juste après l'avoir enlevé, il l'a emmené aux toilettes et il lui a changé ses vêtements, dit-il en caressant du doigt la petite robe blanche.

Ce geste de tendresse n'échappa pas à Sandra. Il soulignait à quel point il avait été simple de faire disparaître Tobia. Ils avaient longtemps cherché un petit garçon sur ces photos. Ils se trompaient. Il était difficile de distinguer clairement si un enfant de trois ans était un garçon ou une fille. Les policiers, mais aussi toutes les personnes présentes cet après-midi de printemps avaient été trompés par l'habitude. L'expérience leur avait appris qu'un enfant habillé en fille *est* une fille.

— L'Église de l'éclipse enlève Tobia… Mais dans quel but ? demanda Sandra.

Ils craignaient tous deux la réponse.

— Nous devrions peut-être nous demander *pourquoi* Tobia ? dit Marcus.

— Que veux-tu dire ?

— Combien d'enfants étaient présents au Colisée ce jour-là ? Le ravisseur a-t-il agi au hasard ?

— Il a choisi une proie sans surveillance, profitant d'un instant de distraction de sa mère.

— Qu'est-ce qui nous assure que ça s'est vraiment passé ainsi ?

— Quand on y réfléchit, le lieu se prêtait bien à un enlèvement : quel meilleur endroit que la foule pour faire disparaître un mineur ?

Marcus n'était pas convaincu.

— Pour la même raison, le risque d'échec était également élevé. Pourquoi ne pas enlever un enfant dans une zone moins surveillée ?

— Tu veux dire qu'il te semble choisi *trop* au hasard ?

— Je ne sais pas, mais il serait également plausible de penser que les ravisseurs avaient un but. Que Tobia Frai n'était pas un enfant comme les autres. Qu'il était important pour eux.

— Alors quelle est la prochaine étape ?

— Découvrir pourquoi.

5

11 heures et 23 minutes avant l'aube

La petite blonde du magasin de téléphonie s'appelait Caterina, et elle avait peur.

Rufo le Cafard le lisait sur son visage tandis qu'il l'observait, caché sous la pluie battante. Il se tenait debout sur le balcon de la jeune fille. Il s'était hissé jusqu'au cinquième étage à l'aide du matériel d'alpinisme rangé dans son sac à dos. Il était parfaitement visible derrière la vitre, mais Caterina ne s'était pas encore tournée dans sa direction. Son petit cerveau lui disait que le danger viendrait d'ailleurs. Elle était assise par terre, le dos contre le mur, et fixait la porte d'entrée. Elle tenait à la main une lampe torche éteinte et était entourée de bougies allumées. Elle avait préparé un nid avec sa couette et tout le nécessaire pour affronter une longue nuit sans sommeil – un livre qu'elle n'ouvrirait pas, des petites bouteilles d'eau qu'elle ne boirait pas, un paquet de biscuits au chocolat qu'elle ne goûterait pas. Un gros couteau de cuisine trônait à côté d'elle.

Tu es seule, pauvre Katy. Et la solitude est la punition des jolies filles comme toi. À force de prendre tout le monde de haut, tu n'as pas de petit ami pour te protéger.

Rufo le Cafard ajusta la caméra GoPro sur son casque. Le moment était venu d'entrer en scène.

Quand le verre se brisa en mille morceaux, Caterina n'eut que le temps de se retourner et de s'étonner. Rien d'autre. Ni d'attraper son couteau ni de hurler. Elle n'était pas assez lucide pour comprendre que l'étranger qui avait démoli sa fenêtre était le danger que, inconsciemment, elle avait attendu jusque-là. Le Cafard eut tout le loisir d'arriver jusqu'à elle et de l'étourdir avec une droite en plein visage. Eh oui : le garçon timide et malingre à qui elle avait montré un téléphone portable une fois était en fait fort et déterminé. Rufo agissait à visage découvert parce qu'il était certain qu'elle ne le relierait jamais à leur rencontre quelques mois auparavant, étant donné que – comme toutes les autres – elle l'avait immédiatement oublié.

Elle s'était évanouie. Il la saisit par les pieds et l'allongea. Puis il sortit son propre couteau de sa ceinture – le seul ami qui ne l'avait jamais trahi – et s'en servit pour découper son ridicule pyjama molletonné. Quand il écarta les pans de la chemise, deux énormes seins apparurent, roses et fermes. Rufo s'extasia de cette vision. Il se pencha sur elle pour la renifler, certain de sentir un parfum chaud et douceâtre – dommage que la caméra ne puisse pas l'enregistrer. Le Cafard ferma les yeux et inspira profondément. Puis il lui glissa une main entre les jambes et s'aperçut qu'elle était mouillée. *Elle s'est pissé dessus*, pensa-t-il. Que c'était mignon : alors il lui avait vraiment fait peur. Tant mieux, elle serait plus facile à pénétrer. Il se sentait déjà très excité. Il sentit un élancement dans son bas-ventre, souvenir de sa rencontre avec le Trouble-fête, quelques heures plus tôt. Il le maudit. De retour au garage, il avait fait tremper ses testicules dans la glace. Tout semblait fonctionner normalement. Il baissa son pantalon et son slip et pencha la tête pour filmer un premier plan bien mérité avec la GoPro. Puis, d'une main, il tira le pantalon de pyjama de la fille, avec sa culotte rose. Il posa son membre sur ses poils blonds et, pour la deuxième fois ce jour-là, quelqu'un lui attrapa les testicules et les serra.

— Espèce de fils de pute, lui murmura le castreur, lui arrachant un cri strident et déchirant.

Rufo perdit ses esprits. Il ne comprenait plus ce qui lui arrivait. Quelqu'un lui avait massacré les couilles et violemment arraché la caméra de la tête. Mais ensuite, l'agresseur l'appela par son nom.

— Rufo, mon ami, dit-il.

Le Cafard n'était pas certain de le connaître. Pour sûr, ce n'était pas le Trouble-fête. Celui-là était nouveau et, au ton de sa voix plus qu'à la puissance de sa main, il comprit que cette fois il aurait du mal à en sortir vivant. Il dressa mentalement la liste de tous ceux qui pouvaient lui vouloir du mal. *C'est ma mère qui l'a envoyé*, se persuada-t-il. Mais il délirait. L'inconnu le releva et, de façon étrangement délicate, l'installa dos au mur. Rufo se tenait le scrotum. Il plissa les yeux et, à travers les larmes qui inondaient son champ de vision, distingua un type en imperméable beige qui lissait sa cravate bleue. Il portait un costume gris clair et d'horribles mocassins marron.

— Qu'est-ce que tu me veux ? On se connaît ? demanda-t-il avec le peu de souffle qui lui restait.

— Pas vraiment, admit Vitali. Dans le fond, ça ne fait pas longtemps que j'ai découvert ton existence. Il vaut peut-être mieux commencer par les présentations, non ?

Et il lui envoya un coup de pied dans l'estomac. Le Cafard se plia en deux, sous l'effet de la douleur.

— Tu es un flic, affirma-t-il, sûr de lui. Il n'y a que vous pour cogner de cette façon.

— Tu es perspicace, Rufo. Je suis étonné : je ne m'attendais pas à ce que tu sois intelligent.

— Comment m'as-tu trouvé ? demanda Rufo la voix cassée.

— J'ai fait une visite dans ton garage et j'ai pu admirer ta petite activité. Toutes mes félicitations… mais la prochaine fois, essaie de ne pas laisser de trace de ton prochain coup.

Rufo pouvait tout supporter, mais pas les reproches. Cela le mettait hors de lui.

— Qu'est-ce que tu me veux ? De l'argent ? J'en ai assez de côté. Attends demain matin et je t'en donnerai autant que tu voudras.

Vitali secoua la tête.

— J'ai l'air d'un type vénal ?

— Je ne sais pas, à toi de me dire.

Rufo frissonna.

— J'ai juste besoin de ton aide, Cafard.

L'inspecteur s'agenouilla pour mieux le regarder.

— Il y a quelque temps, tu as passé deux mois à l'hôpital avec une vertèbre fêlée et les testicules broyés. Tu as été assez bête pour porter plainte, c'est comme ça que je t'ai trouvé.

Oui, c'était vrai : il avait été idiot de s'adresser à la police, mais il était tellement en colère qu'il voulait se venger de celui qui l'avait mis dans cet état.

— Tu as déclaré que tu avais été agressé par un type qui voulait te voler. Tu l'as décrit : la quarantaine, yeux et cheveux noirs, une cicatrice sur la tempe gauche. Est-ce exact ?

Rufo acquiesça.

— Et puis, tu as ajouté un détail qui m'a frappé. Tu as dit que, à un moment, sans que tu l'aies touché, le voleur s'était mis à saigner du nez.

Ce n'est pas moi qu'il veut. Il cherche le Trouble-fête, se dit Rufo. Il avait peut-être une chance de s'en sortir.

— Maintenant, vu le genre d'activités auxquelles tu te consacres, je me suis dit que peut-être l'histoire du vol n'était qu'un bobard et que, probablement, en portant plainte tu voulais juste faire payer celui qui t'avait fait ça.

Rufo secoua la tête.

— Je ne le connais pas, affirma-t-il en s'efforçant de sourire. Mais tu as de la chance, parce qu'il est revenu me voir aujourd'hui.

Il remarqua que les yeux du flic brillèrent. Oui, il pouvait s'en sortir, il suffisait de bien jouer les cartes qu'il avait en main.

— Il a voulu que je l'emmène chez un type qui habite le quartier Parioli, on l'appelle le Fabricant de jouets.

— Et ensuite, que s'est-il passé ?

— Rien, le type n'était pas là. Mais dans une pièce on a trouvé un truc bizarre… Il y avait une poupée, la reproduction grandeur nature d'un enfant qui a disparu il y a neuf ans. Je savais même comment il s'appelait, parce que quand j'étais petit les journaux et la télé en ont beaucoup parlé.

— Qui?

— Tobia, mais je ne me rappelle pas son nom de famille.

Pas grave, pensa Vitali : il n'aurait aucun mal à le découvrir. À ce moment-là, la jeune fille reprit connaissance.

— Je suis policier! hurla Vitali en montrant son insigne. Reste tranquille.

Elle se tut et alla se recroqueviller dans un coin. L'inspecteur se consacra à nouveau à Rufo.

— Giovanni Rufoletti… Je suis curieux : pourquoi te fais-tu appeler Rufo?

— C'est plus cool.

— Tu as raison, j'aurais dû comprendre. Excuse-moi.

Vitali se leva, sortit son pistolet de sa veste et tira un coup dans le genou droit du Cafard.

Le cri de Rufo fut plus fort que le bruit du coup de feu. La jeune fille se boucha les oreilles, terrorisée.

Le seul à être calme, dans la pièce, était Vitali.

— Le nom du type qui saigne du nez, intima-t-il.

— Je ne sais pas, pleura Rufo. Moi je l'appelle le Trouble-fête.

La deuxième balle atteignit son genou gauche. Autre cri.

— Son nom! répéta le policier.

Sans attendre la réponse, il tira une troisième balle, dans la cuisse, cette fois.

Désormais, Rufo ne parlait plus. Il était désespéré. Son visage était un masque répugnant de larmes et de morve.

— Voici la règle du jeu, dit Vitali : je continuerai à tirer tant que tu ne me diras pas ce que je veux. Si tu meurs avant, alors ça veut dire que tu ne savais vraiment pas.

Il tira encore. Une fois, deux fois, trois fois. Il ne visait même plus, il tirait au hasard. Rufo sursautait comme une poupée de chiffon. Quand Vitali en eut assez, il lui porta le coup de grâce au milieu du front. Les bras de Rufo tombèrent le long de ses flancs. Il resta les yeux grands ouverts, son pénis mou sortant de son pantalon.

Vitali se tourna alors vers la jeune fille blonde.

— Tout va bien ?

Toujours aussi bouleversée, elle rampa vers lui pour trouver refuge et s'accrocha à ses jambes. Elle tremblait. Puis elle leva la tête et le regarda.

— Merci, dit-elle, reconnaissante. Vous m'avez sauvé la vie.

Vitali rangea son pistolet dans son étui et lui caressa la tête.

— De rien, ma petite. De rien.

Puis il porta la main à son pantalon et baissa sa braguette.

6

Quand ils allèrent frapper à sa porte, dans le quartier Esquilino, ils n'imaginaient pas que Matilde Frai ouvrirait la porte à deux étrangers. Pourtant, elle le fit.

— Nous sommes de la police, dit Sandra, espérant que son insigne suffirait à rassurer la femme.

Elle tendit le bras pour que la flamme de la bougie de Matilde l'éclaire.

Marcus se tenait en retrait, en partie caché par l'obscurité du palier.

— Que voulez-vous ? demanda la femme sans défiance ni soupçons.

La rudesse était sa façon de faire avec les gens.

— Nous voudrions parler de Tobia.

Ce fut comme si Matilde s'y attendait.

— Je vous en prie, dit-elle en les invitant à entrer.

Elle les guida dans un long couloir étroit. L'appartement, privé de chauffage, était froid. Il était petit et ordonné, mais sentait fort la nicotine. Matilde les guida jusqu'à la cuisine. Marcus remarqua que la femme n'avait pas pris de précautions particulières pour affronter le black-out. Elle ne s'était pas barricadée, elle n'avait pas d'arme ni quoi que ce soit pour se défendre contre un éventuel intrus. Elle ne possédait pas de torche et leur avait montré le chemin avec une bougie qu'elle venait d'allumer. Avant leur arrivée, elle était dans le noir – il en était certain. Une chaise était écartée de la table où trônaient deux paquets de Camel, un cendrier et un briquet. Matilde n'avait pas bougé : elle avait passé la journée à fumer.

— Je vous aurais volontiers préparé un café, mais ma cuisinière ne fonctionne pas.

Ils avaient coupé le gaz domestique, se rappela Sandra. Probablement pour éviter des incendies que personne n'aurait pu éteindre.

— Ça va très bien comme ça, ne vous en faites pas.

Matilde Frai s'assit à sa place habituelle et, sans leur demander si cela les gênait, alluma une énième cigarette.

— Nous ne vous dérangerons pas longtemps, dit Sandra. Quelques questions et nous vous laissons.

Marcus se taisait toujours : ils avaient établi que ce serait elle qui parlerait.

— Je ne sais même pas pourquoi je vous ai fait entrer, dit la femme en riant nerveusement. Personne ne devrait être seul par une nuit pareille, vous ne croyez pas ?

Le pénitencier s'aperçut que, derrière sa tranquillité apparente, la femme tentait en fait de cacher son angoisse. Elle était sans doute curieuse de savoir pourquoi ils étaient venus la voir, mais elle n'avait pas le courage de le demander.

— Je sais que c'est très douloureux, dit Sandra, mais nous voudrions que vous reconstruisiez pour nous cet après-midi de mai d'il y a neuf ans.

Matilde prit une longue bouffée, puis recracha lentement la fumée.

— Et si je refuse ?

Elle bluffait, Marcus en était certain. Sinon, pourquoi ne pas les avoir congédiés immédiatement ? Cette femme avait envie de se faire prier, parce que cette histoire tragique était la seule chose de valeur qu'elle possédait. Il l'avait compris en entrant dans l'appartement et en regardant autour de lui : Matilde n'avait plus aucun lien avec le monde extérieur.

— S'il vous plaît, dit alors le pénitencier.

La femme toussa.

— Tobia voulait aller au Colisée. Il aime les figurants habillés en gladiateurs, dit-elle en parlant de son fils au présent. Nous n'avons pas beaucoup d'argent. Ma maîtrise en lettres classiques et philologie me permet de donner des cours de latin de temps en temps, mais je fais des ménages pour joindre les deux bouts. Ainsi, quand Tobia me demande quelque chose qui ne coûte pas cher, je n'hésite pas une seconde. Un trajet en métro, une glace – des vœux simples à exaucer, non ? Quelques jours plus tôt, je lui ai acheté une casquette avec l'emblème de l'équipe de la Roma. Je l'ai trouvée sur un marché – cinq euros. Je me rappelle encore son expression quand je la lui ai donnée. Il n'en croyait pas ses yeux. En effet, il ne s'en sépare jamais, précise-t-elle avec un sourire triste. Cet après-midi-là nous nous promenions et il m'indiquait les choses en me demandant pourquoi. « Maman, pourquoi il y a cet arc ? Maman, pourquoi les gladiateurs ont une brosse sur leur casque ? » Vous connaissez cette phase que traversent les enfants vers trois ans, non ? demanda-t-elle en tirant à nouveau sur sa cigarette. C'était une belle journée, le soleil brillait. Je ne me rappelle pas exactement comment ça s'est passé. Je sais juste que je lui ai lâché la main un petit moment, puis je me suis retournée et il n'était plus là.

Sandra sentit qu'elle avait du mal à continuer.

— Je l'ai cherché, pensant qu'il s'était éloigné. Mais je ne voulais pas qu'il me perde de vue. J'ai arrêté les gens pour leur demander s'ils avaient vu un petit garçon avec une casquette de l'équipe de la Roma. Ils secouaient la tête et s'éloignaient, comme s'ils ne voulaient pas être impliqués dans mon cauchemar. Quand je me suis mise à hurler le prénom de Tobia, j'ai enfin attiré l'attention. Il y avait une patrouille qui passait, je leur ai demandé de l'aide. Ensuite, certains ont dit que j'avais mis trop de temps à prévenir la police. C'est peut-être vrai, parce qu'en réalité je ne sais pas combien de temps a passé. Je savais juste que mon fils n'était plus là.

Elle tira la dernière bouffée et écrasa son mégot dans le cendrier.

— Voilà, c'est tout. Les gens imaginent que certains drames arrivent de façon ostentatoire. En fait, c'est très simple.

La femme fixa un point indéfini devant elle. Marcus constata qu'elle regardait vers la porte. Il remarqua des signes sur le mur, une vingtaine, disposés du bas vers le haut. Ils étaient chacun d'une couleur différente. Celui au sommet était vert et à côté il était écrit : *103 cm – 22 mai.*

Neuf ans plus tard, ces mesures constituaient l'une des rares preuves restantes de l'existence de Tobia.

Un enfant qui ne pouvait plus grandir, qui aurait dû avoir douze ans mais qui en aurait trois pour toujours. Il se rappela la poupée grandeur nature qu'il avait vue chez le Fabricant de jouets et frissonna.

— Ensuite, que s'est-il passé ? demanda Sandra.

— Les journaux et la télévision se sont emparés de l'affaire. Au début, tout le monde se montrait solidaire avec moi. Mais après l'histoire des photos et des films, les choses ont changé. Le fait qu'on y voie toujours mon fils en ma compagnie a éveillé les soupçons. C'est toujours ainsi : on ne m'a pas pardonné d'être une mère seule, de ne pas avoir de mari, de compagnon, d'homme avec qui élever Tobia. Dans leur tête, la défiance était la punition que je méritais. Mais dans le fond, je les comprends... Il est difficile de s'identifier à quelque chose d'aussi inenvisageable, perdre quelqu'un qu'on aime. On juge parce qu'on est convaincu que cela ne nous arrivera jamais, déclara Matilde en secouant la tête. Les journalistes étaient du même avis. Ils n'avaient même pas besoin de l'écrire dans leurs articles, ils se contentaient de l'insinuer. Personne n'était plus disposé à me croire. Les policiers ne le disaient pas ouvertement, mais je sentais que leur attitude à mon égard avait changé. Ils doutaient de moi, de mon récit. Ils me croyaient capable d'avoir fait quelque chose à mon enfant – quelque chose de mal. Ils n'arrivaient à aucune conclusion, mais dans mon cœur je savais qu'ils avaient cessé de chercher un ravisseur pour se concentrer sur les preuves pour me coincer. C'était juste une question de temps, un jour ils sonneraient à la porte et m'emmèneraient, menottée. Et vous voulez savoir ? Peu m'importait, dit-elle en allumant une autre cigarette. Être arrêtée ou condamnée ne faisait aucune différence pour moi. Si je devais passer le reste de ma vie sans Tobia, le lieu n'avait aucune importance. La douleur était la même. Parce qu'ils avaient tous raison sur un point : cet après-midi de mai, la seule qui aurait pu éviter que Tobia disparaisse, c'était moi.

Sandra regarda Marcus. Ils se sentaient tous deux coupables d'avoir réveillé les tourments de la femme. Cette fois, ce fut le pénitencier qui prit la parole.

— Madame Frai…

— Appelez-moi Matilde, je vous en prie.

— D'accord, Matilde… Vous devez vous demander pourquoi nous sommes venus justement cette nuit. Vous avez accepté de nous recevoir parce que vous imaginiez peut-être que nous avions une nouveauté à vous communiquer.

— Je ne suis pas surprise, dit la femme. D'ailleurs, je vous attendais. Pas vous, naturellement, mais j'espérais que quelqu'un viendrait m'aider.

Marcus et Sandra se regardèrent à nouveau. Ils ne comprenaient pas.

— Vous aider ? demanda la policière.

Matilde chercha les mots afin de ne pas passer pour folle. Finalement, elle se contenta de raconter les faits le plus simplement possible.

— À 7 h 40, une minute avant le début du black-out, mon téléphone a sonné. J'ai répondu, la ligne était brouillée. Puis j'ai entendu la voix de Tobia.

Cette révélation ébranla les hôtes, qui se turent pour écouter la suite.

Matilde sonda leur réaction, se demandant si elle devait continuer.

— Cela a duré quelques secondes, poursuivit-elle, parce que ensuite le courant a été coupé.

— Qu'avez-vous entendu, exactement ? demanda Marcus.

— « Maman, maman. Viens me chercher, maman. » dit-elle sur un ton inexpressif. La chose bizarre – mais je n'y ai pensé qu'après – c'est que ce n'était pas la voix d'un enfant de douze ans, mais de trois ans. Alors j'ai compris que ce n'était pas possible, que c'était sans doute un rêve, une hallucination.

Marcus avait entendu cette voix synthétique et les mêmes mots prononcés par la poupée humaine du Fabricant de jouets, et il se rappela le téléphone sans fil qu'il avait vu par terre. Matilde n'avait rien inventé ni imaginé. Tout était vrai. L'appel provenait de la maison du quartier Parioli. Mais pourquoi tourmenter cette pauvre femme ?

Par une nuit d'obscurité et de tempête, à la lumière d'une bougie, dans cette humble cuisine, ils évoquaient l'esprit d'un innocent. Personne ne savait ce qui allait se passer.

— Moi je vous crois, dit le pénitencier à la grande surprise de Sandra.

Matilde eut l'air étonnée.

— Vous pensez que c'était vraiment mon petit garçon ? demanda-t-elle, les larmes aux yeux.

— Non, parce qu'il serait impossible qu'il ait encore sa voix de petit garçon, admit Marcus. Mais si nous sommes ici cette nuit, c'est parce que nous cherchons des réponses. Nous craignons que Tobia ait été kidnappé, et nous avons besoin de comprendre s'il a été choisi au hasard ou non.

— J'ai toujours prié pour qu'il ait été enlevé par une femme qui ne pouvait pas avoir d'enfant, révéla Matilde, visiblement secouée par les paroles du pénitencier. C'est mieux qu'un maniaque ou un pédophile, non ?… Qui d'autre pouvait s'intéresser au fils d'une pauvre fille mère ?

— Nous ne le savons pas, mentit Sandra qui, en accord avec Marcus, ne nomma pas l'Église de l'éclipse. Mais connaître l'identité du père pourrait nous aider.

Matilde se tut. Elle se leva, emportant le cendrier. Bien qu'il ne contînt que deux mégots, elle le vida dans la poubelle.

— Si je vous disais que je ne le sais pas, vous me croiriez ? Je me rappelle être allée à une fête. Je n'étais plus dans mon état normal. Un mois plus tard, j'ai découvert que j'étais enceinte. Vous imaginez le choc ? Je venais d'avoir vingt-trois ans, je ne connaissais rien à la vie, je n'avais aucune idée de comment élever un enfant. Jusque-là, j'avais vécu hors du monde.

Sandra se demanda ce qu'elle voulait dire avec cette expression, mais décida de ne pas approfondir tout de suite pour ne pas l'interrompre.

— Au début, j'ai pensé m'en débarrasser, j'avais honte. Ma famille n'aurait jamais compris. Je leur avais déjà causé un énorme chagrin, ils n'en méritaient pas un deuxième…

— Un moment, l'arrêta la policière. De quel chagrin parlez-vous ? Que s'est-il passé avec vos parents avant que vous ne tombiez enceinte ?

— Comment ça, ce n'est pas écrit dans vos rapports ?
Je croyais que la police savait tout de moi. À vingt-deux
ans, j'ai rompu mes vœux… Avant de mettre Tobia au
monde, j'étais sœur.

7

Les rues du quartier Esquilino étaient inondées. Il pleuvait à nouveau, à verse.

Marcus souleva une lourde grille et indiqua à Sandra l'escalier qui devait les reconduire au sous-sol. La policière, qui portait toujours ses escarpins à talons hauts, eut du mal à descendre. Pour pallier sa peur des rats, elle eut une idée et prit son smartphone dans son sac. Les lignes étant coupées à cause du black-out, elle avait quasiment oublié qu'elle en possédait un. Et dire que, comme beaucoup de gens, elle en était dépendante quelques heures plus tôt encore ! Désormais, elle ne pouvait plus l'utiliser que comme lampe torche. Elle l'activa et le pointa vers le puits noir à ses pieds, puis elle se lança. Toutefois, à quelques marches de son but, le téléphone lui glissa des mains et tomba avec un bruit sourd. Quand il toucha terre, le flash s'emballa. Sandra n'en fut pas mécontente : elle espérait que la lumière intermittente chasserait les rôdeurs.

Peu après, ils se retrouvèrent dans des tunnels.

Le pénitencier ouvrait la marche avec sa lampe. Depuis qu'ils étaient sortis de chez Matilde Frai, ils n'avaient pas échangé un mot.

Une sœur. Cette femme avait été sœur. Sandra ne réussissait pas à penser à autre chose.

— Tu penses qu'il est mort, n'est-ce pas ?

— Oui, répondit Marcus. Il y a neuf ans.

Il n'avait aucun doute. Sandra percevait sa rage. Marcus avait un sens de la justice qui n'avait rien à voir avec les choses terrestres. Elle oubliait souvent qu'il était prêtre. Elle aurait voulu lui demander pourquoi il était certain que l'Église de l'éclipse avait tué Tobia Frai, mais elle dit simplement :

— Pouvons-nous nous arrêter un moment ?

Le pénitencier ralentit et se retourna. Sandra se tenait à un tuyau et se massait les chevilles.

— D'accord, dit-il. De toute façon, toutes nos pistes s'achèvent ici. Nous n'avons rien d'autre à découvrir.

— Si tu penses vraiment que Tobia est mort, ne veux-tu pas trouver les responsables ? Les regarder dans les yeux et leur demander pourquoi ils ont tué un innocent ?

— Quelqu'un est en train de les exécuter un par un avec beaucoup de créativité et de cruauté. Pourquoi devrais-je intervenir ?

Sandra savait qu'il parlait sous l'effet de la colère. Malgré tout, elle était convaincue qu'il voulait savoir ce qui lui était arrivé avant de perdre la mémoire et pourquoi il s'était retrouvé prisonnier dans le Tullianum. Elle devait seulement attendre qu'il se calme.

Marcus s'assit par terre, elle préféra s'adosser au mur de pierre. C'était inconfortable, mais cela valait toujours mieux que le sol crasseux. Aucun des deux n'avait envie de parler. Sandra vérifia que son smartphone avait survécu à sa chute. Il fonctionnait, mais durant la séquence de flash intermittent il avait automatiquement pris des photos. Des images du couloir derrière eux, prises de différents endroits. Sandra les effaça une à une. Mais à la cinquième, elle s'arrêta.

Dans la pénombre, on apercevait clairement les jambes de quelqu'un.

Marcus la vit se redresser d'un bond et fouiller fébrilement dans son sac. Puis elle sortit son pistolet et le pointa vers l'obscurité d'où ils venaient. Sans qu'elle ait besoin de dire quoi que ce soit, il comprit qu'ils n'étaient pas seuls.

Il se leva et s'approcha d'elle avec la torche. Il la pointa vers l'avant et trois silhouettes apparurent. C'étaient de jeunes marginaux, peut-être des sans-abri. Ils étaient armés. Deux d'entre eux étaient munis de barres et le troisième avait un pistolet au poing. Ce n'était peut-être qu'une impression, mais Sandra reconnut le même regard absent, quasi en transe, que celui du drogué tué par l'hostie noire et la soude caustique sur la vidéo du téléphone.

— Que voulez-vous ? demanda-t-elle.

Aucune réponse.

— Je suis policière, ne jouez pas avec moi.

C'était vrai, mais combien de fois avait-elle tiré depuis qu'elle avait été mutée au bureau des passeports ? Bien sûr, elle participait encore aux sessions de tir mensuelles obligatoires au polygone, mais elle n'était pas certaine de pouvoir se débrouiller avec une arme.

Marcus s'aperçut que ses mains tremblaient. Il était habitué à se trouver en mauvaise posture, mais cette fois c'était pire que jamais.

Les trois hommes avancèrent.

— Nous voulons juste parler un peu, dit l'un d'eux sur un faux ton amical. On pourrait s'en fumer une et discuter sur comment se répartir la femme.

Les deux autres rirent.

— Tu ne vas quand même pas te la garder pour toi tout seul ? demanda un autre.

Le pénitencier réfléchit à toute allure. Ils pouvaient prendre la fuite, il connaissait bien les lieux. Mais que se passerait-il si par malheur il perdait Sandra ? Il fallait courir le risque de s'enfuir dans le noir.

Marcus lui prit la main, puis recula d'un pas. Sandra comprit qu'il avait un plan et acquiesça pour lui montrer qu'elle était prête.

Il éteignit sa lampe et se tourna pour partir.

Comme s'ils obéissaient à un commandement invisible, les trois hommes bondirent dans leur direction. Ils les rattrapaient. Sandra pouvait même les voir dans son esprit : des prédateurs de l'obscurité. À ce moment-là, elle sentit quelque chose effleurer sa tête – une main ? Elle frissonna de dégoût et de peur. Elle imagina qu'une de ces créatures de l'obscurité l'attrapait par les cheveux, qu'elle perdait le contact avec Marcus et qu'elle tombait en arrière. L'un d'eux la traînerait dans sa tanière, où elle deviendrait le jouet de ses fantasmes les plus fous.

— On ne va pas y arriver, dit-elle.

— Cours, ordonna le pénitencier.

Il ne retrouvait pas son chemin et sentit le tunnel rétrécir. Soudain, une lumière violente s'alluma dans leur dos. Ils entendirent trois coups de feu. Puis des bruits sourds.

Leurs agresseurs étaient tombés net.

Marcus et Sandra se tournèrent et virent avancer le rayon d'une torche. Le pénitencier se tint prêt : il lui prit le pistolet et le pointa vers l'intrus qui venait d'ouvrir le feu.

— Stop ! intima-t-il.

Qui qu'il soit, l'homme obéit et s'arrêta devant les trois cadavres, mais uniquement pour vérifier qu'ils étaient bien morts. Puis il déplaça le rayon lumineux pour se faire reconnaître. Vitali avait toujours son fidèle Beretta à la main.

— Bonsoir, mes amis, dit-il, satisfait de leurs mines éberluées.

Il avait eu la bonne idée de partir à leur recherche en dessous de l'immeuble de Matilde Frai. Et, au vu des événements, ces deux-là étaient redevables d'une faveur à Rufo, qui lui avait donné le nom du petit Tobia – repose en paix, Cafard.

— Fils de pute, dit Sandra.

— Comment ? fit mine de se scandaliser le policier. C'est comme ça que je suis remercié de vous avoir sauvé la vie ?

— Je ne suis pas sûre que nous soyons plus en sécurité maintenant.

Plus qu'avant, pensa Vitali – Sandra Vega avait-elle remarqué le regard des trois hommes ?

— Tu peux dire à ton ami de baisser son arme. Et tu pourrais me le présenter, non ?

Sandra se tourna vers Marcus.

— Ne dis rien.

— Quelle méfiance, dit l'inspecteur en se positionnant pour viser. J'aurais voulu avoir une conversation civile, mais ça me va aussi comme ça. Quoi qu'il en soit je voudrais te rappeler, agent Vega, que je viens d'abattre trois hommes sans tirer plus de trois fois.

Sandra savait que s'ils s'affrontaient à coups de feu, Vitali aurait le dessus.

— Je propose un accord.

— J'écoute.

— Un échange d'informations.

Vitali réfléchit.

— Pourquoi pas, mais toi d'abord… Qui est-il ?

— Je ne peux pas te le dire, affirma Sandra.

Vitali secoua la tête, contrarié.

— On commence mal.

— Il n'est pas l'assassin de la vidéo du téléphone, le rassura la policière.

— Et le sang qu'on a retrouvé dessus ? Tu veux me dire que ton ami ne souffre pas d'épistaxis ?

Marcus se demanda comment il le savait.

— Ne me regarde pas comme ça, rit Vitali. C'est un cafard qui me l'a dit.

Rufo, pensa immédiatement le pénitencier. S'il l'avait utilisé pour remonter jusqu'à lui, alors l'inspecteur était vraiment rusé.

— Tu ne comprends pas, idiot ? l'attaqua Sandra. Quelqu'un nous veut ici, exactement là où nous nous trouvons. Il l'a chargé de te retrouver et, avec la photo dans le portable, il m'a utilisée comme appât pour te conduire à lui. Il nous utilise tous.

— Qui est ce « il » ?

— Nous ne savons pas.

— Et quel est son but?

— Tuer tranquillement les membres de l'Église de l'éclipse.

Cette révélation sembla secouer Vitali.

— Que sais-tu de l'Église de l'éclipse?

— Il y a neuf ans, ils ont enlevé Tobia Frai, probablement pour le tuer.

Une expression incrédule apparut sur le visage de Vitali.

— Qui t'a raconté ça?

Sandra ne lui aurait jamais révélé que c'était le commissaire Crespi qui avait parlé.

— Allons, inspecteur, tu sais parfaitement de quoi je parle. L'Église de l'éclipse fait partie de tes affaires de quatrième niveau, n'est-ce pas? J'ai vérifié aux archives : tes dossiers bénéficient du plus haut degré de confidentialité.

— Je ne connais pas ta source, mais elle se joue de toi. À ton avis, si mes affaires sont de quatrième niveau... tu crois vraiment que j'en parle à n'importe qui?

Sandra se demanda s'il bluffait. L'inspecteur capta son regard et renchérit :

— Réfléchis, Vega. Combien de personnes au sein de la police ont accès aux dossiers de quatrième niveau?

Marcus ne comprenait pas ce qui se passait, mais il s'aperçut que Sandra hésitait. Avant qu'elle puisse dire quoi que ce soit, ils furent interrompus par un bruit venant du tunnel. Un martèlement, qui les fit taire. Comme si une armée approchait.

Puis le sol se souleva sous leurs pieds.

Sandra Vega hurla. L'invasion des rats prit tout le monde au dépourvu.

— Putain, quelle horreur ! cria Vitali en sautant d'un pied sur l'autre avec ses précieux mocassins marron pour ne pas écraser les immondes bestioles. D'où viennent-ils, ces maudits ?

Marcus fut le premier à penser que les rats fuyaient quelque chose.

— Le Tibre, dit-il.

Puis il attrapa Sandra pour la ramener à la réalité.

— Il faut partir tout de suite.

Vitali se retourna et sentit la puanteur qui arrivait dans son dos : de l'eau putride. Sans plus se soucier de ses chaussures, il se mit à courir avec les rats.

La crue, tant redoutée durant la journée, avait fini par arriver. Le fleuve ne mit pas longtemps à déborder. Il envahit le tunnel, emportant les trois fugitifs qui se retrouvèrent à flotter au milieu des rats. La lumière de leur unique torche s'éteignit immédiatement.

Dans le noir, Sandra serrait fort la main de Marcus, mais il avait peur de la perdre. En réalité, il n'était pas sûr de pouvoir remonter à la surface. Le courant les entraînait, impétueux. Le pénitencier fut frappé à l'estomac par un déchet, probablement un tronc. Un autre l'atteignit à la nuque. Sandra avait perdu le sens de l'orientation et s'agrippait de toutes ses forces à la main de Marcus. Elle essaya de se libérer de son sac, qui agissait comme un lest. Puis quelque chose la tira vers le bas. La bandoulière s'était coincée. Non, c'était une main, qui remonta le long de son corps et lui attrapa le bras.

Elle ne pouvait pas le voir, mais elle sut qu'il s'agissait de Vitali.

Elle le bouscula. Une fois, deux fois. En vain. Elle ne savait pas combien de temps elle pourrait encore retenir son souffle. Puis son instinct de survie la contraignit bêtement à chercher de l'oxygène. Elle respira de l'eau.

Tandis qu'elle perdait le contrôle, elle sentit la sangle glisser de son épaule à son avant-bras. Les doigts de Vitali lâchèrent prise, la libérant.

Marcus sentit que Sandra ne lui serrait plus la main aussi fort qu'avant. *Elle s'est évanouie*, pensa-t-il. Le liquide glacial et vaseux entrait dans ses poumons. Bientôt, il perdrait connaissance à son tour. Il devait agir avant qu'il soit trop tard.

Il tapa du pied sur le mur et se propulsa vers le haut.

Il émergea dans la partie supérieure du tunnel, où s'était formée une poche d'air. De sa main libre, il s'accrocha à un tuyau. De l'autre, il tira Sandra. Il l'entoura de son bras. Il devait s'assurer qu'elle respirait encore. Il posa sa bouche sur la sienne et chercha un signe de vie. Grâce à Dieu il sentit quelque chose, bien que très faible. Toujours accroché au tuyau, il tenta d'avancer dans le flux impétueux sans se laisser emporter à nouveau. Ils progressèrent ainsi sur une cinquantaine de mètres, puis Marcus sentit de l'air qui provenait de la surface.

Une bouche d'égout.

En tâtonnant, il trouva l'échelle métallique. Il chargea le corps inanimé de Sandra sur son épaule et, à grand-peine, entreprit de monter. Il réussit à ouvrir la bouche en forçant avec son bras droit.

Quand il sentit la pluie sur son visage, il sut qu'ils étaient saufs. À la surface aussi, un fleuve d'eau pouvait les menacer, mais la crue du Tibre n'avait pas pu gravir la pente sur laquelle ils se trouvaient.

Après l'avoir installée sur l'asphalte, Marcus pratiqua sur Sandra une réanimation cardio-pulmonaire. Peu après, la policière cracha de l'eau et toussa.

— Tu vas bien?

— Oui… Je crois que oui, dit-elle en se relevant péniblement. Elle sentait encore la chaleur des lèvres de Marcus sur les siennes.

Ils étaient conscients d'avoir eu de la chance. Sandra observa les traces laissées par les doigts de Vitali sur son avant-bras gauche. L'inspecteur était certainement mort. Pourtant, ils furent distraits par une autre vision.

Devant eux, au pied de la colline, le fleuve et le feu des incendies avaient conquis le centre de Rome, triomphants.

8

Erriaga avait mis plus de deux heures pour gagner le palais de la Chancellerie. En temps normal, cela prenait vingt minutes au maximum.

Mais ce n'était pas un jour comme les autres.

Avec pour seule protection un manteau et un chapeau noir, il avait traversé la zone limitrophe de celle où avaient éclaté les premiers troubles. Chaque fois qu'il avait croisé quelqu'un, il s'était caché dans un coin, dans l'espoir de ne pas être aperçu. Il avait vu les incendies que la pluie ne parvenait pas à éteindre, entendu le grondement du Tibre quand il était sorti de son lit. Mais ce qui l'avait le plus frappé était le regard des personnes qui déambulaient dans les rues, assoiffées de violence – vide, quasi immobile.

La prophétie de Léon X. Les signes.

D'abord il y avait eu l'obscurité, avec le black-out. Puis l'eau, avec les orages et le fleuve furieux. Puis le feu des incendies. Et enfin, la *maladie*.

La peste qui avait frappé ces âmes n'était pas due au hasard, elle semblait faire partie d'un dessein. Ceux qui étaient autrefois des hommes avaient été transformés en quelque chose de nouveau. De mauvais.

Ils étaient les nouveaux maîtres de Rome. La police avait du mal à les dompter.

Erriaga arriva sain et sauf dans les environs du bâtiment qui abritait depuis des siècles le Tribunal des âmes. Il se signa, puis frappa à l'énorme porte et attendit.

Un des chanceliers qui supervisaient le fonctionnement de la sainte cour vint lui ouvrir.

— Bonsoir, éminence, le salua le jeune prêtre avant de lui ouvrir le chemin avec un candélabre.

Ils montèrent le grand escalier de marbre usé par des siècles de pas.

— Que s'est-il passé ? demanda l'Avocat du diable. Pourquoi cette urgence ?

Il n'avait cessé de penser au drapeau noir exposé sur le toit pour convoquer la séance extraordinaire.

— Une affaire qui ne pouvait être reportée.

— Un pénitent à l'article de la mort, n'est-ce pas ?

— Oui, éminence.

Le Tribunal des âmes représentait le jugement de dernière instance pour les catholiques entachés de *culpa gravis*.

Tout le monde ne pouvait pas comprendre, mais pour l'Église il était essentiel qu'une âme se libère d'un péché aussi grave. Surtout à l'approche de la mort du pénitent.

Erriaga, qui au sein du processus représentait la partie civile, ne savait pas encore de quel péché mortel il allait s'occuper cette nuit-là.

— Cet après-midi, le curé de la paroisse de Santa Maria del Riposo s'est présenté ici, informa le chancelier. C'est lui qui nous a apporté la confession du moribond.

— Où est ce prêtre ? Je veux le rencontrer avant de commencer.

Ils entrèrent dans la salle des parchemins qui menait aux bureaux de la cour. Erriaga retira son manteau et le remit au chancelier avec son chapeau noir. Puis, suivant un parcours de bougies allumées, il se rendit dans son bureau. Il se laissa tomber dans un fauteuil en velours rouge et croisa ses mains sous son menton. Il nourrissait la crainte que cette situation ne soit pas le fruit du hasard. Un autre signe ? Que pouvait cacher le péché, aussi grave soit-il, d'un homme en fin de vie ?

La porte s'ouvrit et le chancelier introduisit un prêtre qui avait l'air d'avoir dépassé les quatre-vingts ans. Sa tunique élimée semblait aussi vieille que lui. Il avait quelques rares cheveux blancs en bataille et la barbe hirsute. Il tenait son couvre-chef dans ses mains et avançait, voûté, intimidé de se trouver devant un aussi haut dignitaire.

À un autre moment, Erriaga n'aurait eu aucune pitié pour son aspect négligé. Il l'aurait rabaissé pour qu'il se sente minable. En fait, il aurait aimé être à la place de ce pauvre curé d'un diocèse insignifiant, aux prises avec des petits tracas quotidiens. Ses responsabilités à lui étaient énormes. Et cette nuit-là, pour la première fois de sa vie, il en sentit le poids.

— Raconte-moi, dit-il à l'homme avec une gentillesse inhabituelle.

Le curé fit un pas et leva vers lui ses yeux d'un bleu profond, purs comme de l'eau de montagne.

— Éminence, pardonnez-moi, mais alors que je m'apprêtais à fermer l'église pour le début du couvre-feu, j'ai remarqué que quelqu'un avait laissé un objet sur le prie-Dieu de l'un des confessionnaux.

— Quel objet ? demanda Erriaga.

— Un calepin, répondit le curé.

Il sortit de la poche de sa tunique un petit carnet noir qu'il tendit au prélat. Erriaga commença par le soupeser, comme s'il pouvait ainsi en évaluer le contenu. Mais il hésita à le lire.

— Comment sais-tu qu'il appartient à un moribond ? Tu n'as pas vu le pénitent, tu ne sais pas dans quel état il se trouve.

— C'est vrai, admit le prêtre. Mais l'homme qui a écrit ces pages savait qu'il allait mourir. Il indique même comment cela se produira et le lieu où son cadavre sera retrouvé.

Erriaga soupira et se décida enfin à ouvrir le calepin. Il le feuilleta et la première chose qu'il remarqua fut que quelques pages étaient arrachées. Puis, à la lumière des bougies qui l'entouraient, il lut.

Il se sentit blêmir. Ses mains se mirent à trembler imperceptiblement. Ses yeux parcouraient les lignes et il se retrouva à tourner les pages sans même en tenir le compte. Quand il eut terminé, il referma le carnet et le posa sur ses genoux.

Le prêtre et le chancelier, qui avaient attendu qu'il finisse sa lecture, guettaient maintenant un signe ou une parole. Erriaga n'avait pas la force de faire ou de dire quoi que ce soit. Dans le Tribunal des âmes, l'identité du pénitent était toujours protégée par l'anonymat. Seul le péché était jugé, jamais le pécheur. Malgré tout, pendant des années, l'Avocat du diable avait toujours su habilement remonter jusqu'aux coupables. Et il s'était servi d'eux en les faisant chanter pour accroître son pouvoir. Mais cette fois, il n'avait pas besoin d'enquête ni de subterfuge pour connaître le nom de l'homme qui devait mourir. Et surtout, il savait qu'il avait survécu.

— Marcus, dit le cardinal dans un souffle.

9

8 heures et 43 minutes avant l'aube

Ils avaient trouvé refuge dans un restaurant.

Il avait été saccagé et dévasté par les ombres en furie. Rideau de fer décroché, mobilier détruit, inscriptions sur les murs. Une voiture en flammes de l'autre côté de la route projetait une faible lueur à l'intérieur. Marcus s'en servit pour chercher de l'eau pour Sandra. Un liquide marron et vaseux sortait des robinets. Conséquence de la crue, pensa le pénitencier. Le fleuve avait dû trouver le moyen de se glisser dans les canalisations. Au fond d'un frigo éteint, il trouva deux canettes de Coca-Cola qui avaient survécu à la razzia.

La policière était assise par terre dans un coin. Elle était encore sous le choc. Ses cheveux et ses vêtements étaient trempés, elle tremblait de froid et toussait. Marcus prit place à côté d'elle et lui passa une boisson. Sandra secoua la tête.

— Tu dois boire, lui dit-il.

Elle obéit, mais elle ne pouvait rien avaler, comme si sa gorge était fermée.

— Ça va mettre un moment, c'est normal, la rassura le pénitencier.

Sandra était hypnotisée par la voiture en train de brûler. Elle s'était écrasée contre un véhicule de police qui se trouvait non loin, retourné. Les policiers s'en étaient sortis ou, du moins, avaient réussi à s'éloigner. Le conducteur de la voiture, en revanche, n'était plus qu'un squelette carbonisé. Quelle était cette folie ?

— Tu as vu ces yeux, toi aussi…

Marcus comprit qu'elle faisait référence au regard des trois hommes qui les avaient agressés dans le sous-sol. Oui, il les avait vus.

— Essaie de ne pas parler, dit-il pour l'apaiser.

— Je ne crois pas qu'ils voulaient nous tuer, reprit-elle, ignorant le conseil. Ils l'auraient fait… mais seulement à la fin.

Elle imaginait une longue série de sévices. « Torture » était le mot exact.

Dans le tunnel, elle avait tout perdu. Ses chaussures – elle était pieds nus – mais aussi son sac avec son insigne, la liste des éléments de l'enquête, ses papiers et tout le reste. Et surtout, l'eau avait emporté son pistolet. Sandra se sentait sans défense. Elle enviait Marcus, qui n'avait jamais d'arme sur lui. Mais avant tout, elle était contente de l'avoir à ses côtés. Elle savait qu'il ferait tout pour la protéger, aussi se sentait-elle moins seule. Sur combien de personnes pouvait-elle compter dans la vie ? Combien auraient accouru chez elle en cas de fin du monde ? Elle se retrouva à faire le bilan de sa vie affective, ainsi que la liste des gens pour qui elle comptait vraiment. Après une association d'idées, une pensée vint la tourmenter : les mots de feu l'inspecteur Vitali.

« Réfléchis, Vega. Combien de personnes au sein de la police ont vraiment accès aux dossiers de quatrième niveau ? »

Sandra ne pouvait pas y croire.

— C'est Crespi qui m'a parlé de l'histoire de l'Église de l'éclipse… C'est lui qui m'a tout raconté.

— Quoi ? demanda Marcus qui ne comprenait pas d'où venait cette considération.

— Je ne suis pas devenue folle, le rassura Sandra. Je réfléchissais à haute voix.

— À ce qu'a dit Vitali ?

La question du pénitencier confirmait ses doutes.

— C'était un manipulateur, mais sur ce point il pouvait dire la vérité. Vitali était à la tête d'une unité secrète de la police, celle des crimes ésotériques. Tellement confidentielle que seul un policier s'occupait de ses dossiers. Un homme pour qui on créait même des missions de couverture.

— Crespi, tu as dit… Un commissaire des homicides qui non seulement est au courant de l'enquête, mais qui en parle tranquillement à une subordonnée qui pourrait être lourdement impliquée…, poursuivit à sa place le pénitencier. Il ne se contente pas de t'informer, il te fournit des détails, au risque d'être accusé de favoritisme.

Marcus avait traduit en mots le soupçon qui la rongeait. Cela lui coûtait de l'admettre, mais elle n'était plus totalement convaincue de la bonne foi de Crespi.

— Je dois lui parler.

Par les vitrines du restaurant, ils virent des hommes armés de bâtons courir dans la rue. Marcus bondit sur ses pieds, en alerte. Ils passèrent sans les apercevoir.

— Il faut partir, dit le pénitencier. Nous ne sommes pas en sécurité ici.

Sandra le regarda, effrayée.

— Je ne veux pas redescendre.

Ils n'auraient de toute façon pas pu : les tunnels étaient impraticables. Mais elle avait besoin d'être rassurée.

— Nous marcherons dans la rue, mais il faudra être prudents.

— Où allons-nous ?

Marcus observa l'accident de l'autre côté de la rue. Son attention fut attirée par la voiture de police renversée.

— Voir un vieil ami à toi.

Depuis des heures, le chaos régnait dans la fourmilière. L'énergie des générateurs et la technologie en parfait état de marche à l'intérieur du bunker n'avaient pas suffi à garder le contrôle sur ce qui se passait dehors.

Le chef de la police s'était enfermé dans son bureau. Il était en contact permanent avec les plus hautes autorités de l'État, dans la tentative désespérée de faire à nouveau régner l'ordre dans la ville.

Ils avaient compris que ce qui avait démarré piazza del Popolo n'était pas une agression systématique : il n'y avait aucune stratégie derrière l'assaut. L'imprévisibilité de l'ennemi constituait le véritable élément déstabilisant.

Le problème avait surgi quand certains avaient réussi à dévaliser un dépôt d'armes et de munitions. De Giorgi avait officiellement demandé au ministre de faire intervenir l'armée.

Le Comlog, le Commandement logistique, devait mobiliser mille hommes du régiment de soutien Cecchignola. Des troupes et des véhicules légers étaient prêts à entrer dans Rome par le sud et à se diriger vers le centre de la capitale. Dans quelques heures, une unité de parachutistes de la brigade Folgore, un corps d'élite entraîné pour les missions à haut risque, devait arriver de Toscane. Cette unité spéciale avait pour but de pourchasser les chefs de la révolte. Crespi pensait que ce n'était pas la définition appropriée, étant donné que les soi-disant « révoltés » n'avaient pas d'objectif précis et n'étaient pas organisés. Toutefois, on les appelait ainsi depuis qu'ils avaient réussi à écraser les forces de l'ordre. Cela arrangeait probablement les hautes sphères de s'y référer en ces termes. Y compris pour des questions d'image : il valait mieux avoir été vaincus par un groupe de rebelles plutôt que par une horde de paumés qui s'adonnait au pillage et au vandalisme. En outre, il fallait justifier les vies perdues jusque-là.

Comme tous les présents dans la salle d'opérations, le commissaire s'inquiétait pour sa famille. Il avait une femme, des enfants, des petits-enfants. Il ne savait pas s'ils étaient en sécurité. Heureusement, ils habitaient au Nuovo Salario, loin des zones touchées par les troubles. Mais on ne savait jamais.

Les nouvelles qui arrivaient à la fourmilière étaient confuses et souvent discordantes. La seule certitude était que le Tibre avait débordé en trois endroits : à la hauteur du pont Milvio, où il avait violemment pénétré le quartier des bars et des restaurants où des milliers de Romains se réunissaient chaque soir ; face au château Saint-Ange, où la crue avait emporté les bateaux et péniches qui stationnaient sur le fleuve – avec les détritus, les embarcations avaient formé un bouchon sous le fameux pont des Anges, qui avait été fendu par le flot puis s'était écroulé; de là, le Tibre avait débordé et atteint la piazza Navona. La fontaine construite par le Bernin, sur un projet de Borromini – appelée fontaine « des Quatre-Fleuves » – n'existait plus. Il n'y avait plus non plus d'île Tiberina : elle avait été recouverte par la furie des eaux. Heureusement, l'hôpital situé dessus avait été évacué. Le fleuve avait également envahi le quartier Trastevere, où il y avait sans doute bon nombre de morts. La boue était montée jusqu'au premier étage des immeubles. On ne savait pas combien de personnes s'étaient noyées chez elles. Elles s'étaient barricadées pour échapper aux intrus, mais avaient été tuées par le fleuve.

Le commissaire était convaincu que dès le lendemain, tout le monde blâmerait le couvre-feu. La question serait : et s'il n'y avait eu aucune limitation de la liberté des citoyens, combien auraient pu se sauver ? De nombreuses têtes tomberaient, à la recherche d'un bouc émissaire. Mais Crespi pensait surtout à tous ceux, dehors, qui n'avaient pas eu la chance de mourir noyés et qui gisaient maintenant chez eux, blessés, attendant une aide qui n'arriverait pas. En effet, les équipes de secours envoyées depuis toutes les régions d'Italie et les opérateurs du génie militaire stationnaient en banlieue, attendant que la ville soit « sécurisée » avant d'intervenir.

Les hommes et la nature avaient détruit en quelques heures ce qui avait été édifié en plusieurs centaines d'années. Une beauté sans égale. Le tout au prix de vies humaines. À l'aube, le monde s'apercevrait que Rome avait changé pour toujours. À condition que la ville survive jusqu'au lendemain.

Perdu dans ses pensées, Crespi fut interrompu par une policière.

— Monsieur, un appel d'une patrouille pour vous. L'agent s'est présenté comme Sandra Vega.

— Passez-la-moi, ordonna le commissaire.

Quand il attrapa la radio, il parla le premier :

— Vega, c'est vraiment toi ?

— Oui, Crespi. C'est vraiment moi.

La transmission était mauvaise, mais il était heureux de l'entendre.

— Dis-moi que tu n'es pas à Trastevere, que tu es sortie de chez toi avant la crue.

— Rassure-toi, commissaire, tout va bien.

— Grâce à Dieu.

Mais son soulagement ne dura pas.

— Je sais que tu es l'un d'eux.

L'ambiguïté de la formulation le fit hésiter.

— Qu'est-ce que tu dis ? Je ne comprends pas…

— Tu as très bien compris. *Je le sais*, répéta la policière.

Il se couvrit la bouche de sa main pour que personne ne l'entende.

— Écoute, Vega. J'ai essayé de te le dire ce matin – je te le jure. Sinon, pourquoi t'aurais-je révélé tout cela ?

— Alors c'est vrai : ce n'est pas Vitali qui t'a dit tout ça, tu le savais déjà.

— Laisse tomber Vitali, il y a plus important…, dit le commissaire qui transpirait malgré la climatisation.

Je veux en sortir… mais je ne sais pas comment faire. Vega, tu es là? demanda-t-il après un silence.

— Je suis là. Je pense qu'on ne devrait pas en parler par radio. Non?

Elle avait raison. Quelqu'un aurait pu écouter.

— Que suggères-tu?

— Retrouvons-nous dans une heure au Caffè Greco.

Crespi sortit discrètement de la fourmilière. Il portait un sac de sport foncé.

Le rendez-vous était fixé via dei Condotti, la rue prestigieuse qui conduisait à l'une des adresses les plus prisées de la planète : la piazza di Spagna.

La rue était célèbre pour ses boutiques des principales marques italiennes et internationales de haute couture, ainsi que ses enseignes de luxe.

L'Antico Caffè Greco était la seule exception. Fondé en 1760 par un cafetier d'origine levantine, il était devenu avec le temps un cénacle culturel, repère d'intellectuels et d'artistes en tout genre. En plus de son excellent expresso, l'établissement était réputé pour sa décoration – les murs rouge Pompéi, les tables en marbre gris, les chaises en velours, les lampes Liberty et Art déco, les miroirs et les tableaux aux cadres dorés.

Crespi avait cette image en tête lorsqu'il arriva à destination. Il n'avait pas utilisé sa lampe, par peur d'être localisé par un groupe de rebelles. Il l'alluma en arrivant au café. Il eut du mal à reconnaître l'antre noir devant lequel il se trouvait. Tout avait été ravagé par l'ignorance et la bestialité des chacals. Et tous les commerces de la rue avaient connu le même sort. Les bijouteries Bulgari et Cartier avaient été dévalisées, les magasins Gucci, Prada, Dior et Vuitton saccagés. Mais le spectacle le plus terrible s'offrit à lui quand il éclaira de sa torche la piazza di Spagna. Elle était irrémédiablement mutilée. Le monumental escalier baroque était un parking à débris : ils s'étaient amusés à descendre les cent trente-cinq marches blanches en voiture. La célèbre fontaine connue sous le nom de « Barcaccia » avait été en partie rasée par une Mercedes.

Crespi entra dans la bauge qui avait été le plus beau café de Rome. Rien n'avait été épargné. Il posa son sac de sport par terre et se pencha pour ramasser un morceau d'une des célèbres tasses en porcelaine portant le logo du lieu. Il se demanda combien de personnes avaient posé les lèvres sur ce bord lisse et épais, à la recherche d'un noble plaisir. Il secoua la tête, écœuré.

— Par ici, entendit-il appeler.

Il marcha sur un tapis de verre brisé mêlé à des morceaux de bois et de marbre jusqu'à la salle Omnibus, où étaient exposées au mur les plaquettes en plâtre qui témoignaient du passage de clients célèbres – d'Apollinaire à Bizet, Canova, Goethe, Joyce, Keats, Leopardi, Melville, Nietzsche, Mark Twain et Orson Welles, pour n'en citer que quelques-uns. Elles n'étaient plus que de la poussière blanche recouvrant les débris.

Sandra se tenait debout au milieu de la pièce. Il l'éclaira de sa torche. Elle était nu-pieds, sa robe du soir noire était déchirée à plusieurs endroits et ses mains étaient glissées dans les poches d'un sweat-shirt à capuche. Ses cheveux et son visage étaient couverts de boue. Son aspect était assorti à la destruction qui l'entourait. Ils étaient seuls.

— J'ai apporté ce que tu m'as demandé, dit-il en montrant le sac.

— Bien, pose-le par terre.

Crespi obéit.

— Je suis ici pour t'aider, commissaire. Mais d'abord, je dois comprendre à quel point tu es impliqué…

Le policier se tut, puis détacha sa ceinture et baissa son pantalon pour découvrir sa hanche gauche.

Sandra y aperçut le tatouage du cercle bleu.

— Je ne peux pas oublier ce que tu as fait pour moi toutes ces années, donc j'ai décidé de rester ton amie.

— Je voudrais pouvoir te croire, Vega, dit l'homme en remontant son pantalon.

— Par radio, tu m'as dit que tu voulais en sortir, non ?

Crespi dégaina son arme.

— Qu'est-ce qui me prouve que tu n'es pas l'une d'entre eux ? Il y avait ta photo dans le téléphone retrouvé dans le taxi.

— Si tu penses comme Vitali, alors pourquoi es-tu venu ?

— Pour que tu leur dises de me laisser en paix.

Crespi pleurnicha et se détesta pour cela, mais il ne pouvait rien y faire : il n'avait jamais eu aussi peur de sa vie. Il était confus, fatigué, mais il capta tout de même le mouvement des yeux de Sandra. Ils s'étaient déplacés vers l'obscurité sur sa droite. Pourquoi ?

Le commissaire n'eut pas le temps de se retourner que l'ombre était sur lui. Elle lui bloqua le bras et saisit son arme, puis lui serra la gorge.

Sandra fit un pas en avant.

— Inutile, dit-elle en ramassant la lampe torche de Crespi qui était tombée.

Marcus le lâcha.

Le commissaire tomba à genoux et se mit à tousser. Il leva les yeux sur l'homme qui l'avait désarmé. Il lui fallut un moment pour le reconnaître. Ils s'étaient rencontrés des années auparavant, lors de l'affaire du monstre de Rome. Il ne savait pas qui il était, mais à l'époque il l'avait aidé. Que faisait-il en compagnie de Sandra Vega ?

— J'attends une explication, dit la policière.

Le commissaire se massait la gorge.

— Je ne sais pas qui vous pensez que je suis, mais la vérité est que pour eux je n'ai aucune importance.

— Pourquoi as-tu peur ? demanda Sandra en pointant la lampe vers lui.

— Hier soir, juste après que la télévision eut annoncé le black-out d'aujourd'hui, j'ai été convoqué à la fourmilière. Je suis sorti de chez moi pour prendre ma voiture et je me suis aperçu qu'elle avait été forcée. J'ai pensé que c'était l'œuvre de voleurs. Mais j'ai constaté qu'ils avaient laissé tout ce qui avait de la valeur. Ils n'avaient pris qu'un trousseau de clés et un calepin que je garde sur le tableau de bord pour prendre des notes.

Sandra et le pénitencier se regardèrent. Voilà où Marcus avait trouvé le carnet et, surtout, les clés des archives des affaires irrésolues où ils avaient découvert les photos du ravisseur de Tobia Frai.

Marcus aurait voulu se rappeler le moment où, au cours de son enquête oubliée, il avait forcé la voiture du commissaire. Mais savoir que cela s'était passé ne suffisait pas à faire revenir les souvenirs : sa brève amnésie semblait irréversible.

— Pourquoi un vol mineur t'a-t-il fait aussi peur ?

Sandra ne comprenait pas.

— Tu ne les connais pas, murmura Crespi. Ils ne menacent jamais directement. Ils se contentent d'envoyer un petit signal… Quand j'ai vu sur la vidéo du téléphone comment ils avaient tué ce drogué qui avait le même tatouage que moi, j'ai compris que c'était la fin. C'est pour ça que j'ai décidé de te mettre sur la bonne piste.

— Qui sont les membres de l'Église de l'éclipse ? demanda Marcus.

— Je ne sais pas, répondit Crespi comme si c'était évident. Nous recevions nos missions durant des rencontres régulières où tout le monde portait une tunique noire et un masque. C'est ainsi que le secret était préservé.

— Qui attribue ces missions ?

— Nous les appelons l'Évêque, le Fabricant de jouets et l'Alchimiste.

Marcus avait déjà découvert l'identité des deux premiers, mais pas du troisième.

— Ce sont eux qui commandent ? insista Sandra.

— Non.

Crespi regarda autour de lui, comme si de gigantesques fauves pouvaient surgir de l'ombre et le dévorer.

— Au-dessus de chacun de nous, il y a le Maître des ombres.

Sandra n'arrivait pas à croire que l'homme qu'elle avait tant estimé cachât un secret aussi infâme. Elle lui posa la question la plus douloureuse :

— Qu'est devenu Tobia Frai ?

— Je ne sais rien de lui. Je n'ai eu qu'une seule mission, et je l'ai accomplie : il fallait conserver quelque chose.

— Quoi donc ? demanda Marcus.

— Une valise.

— Où est-elle, maintenant ?

— Je la gardais à la cave, mais cette nuit je l'ai déplacée.

Le commissaire gagnait du temps.

— Je te repose la question : où se trouve-t-elle ?

Sous la pression, Crespi baissa les yeux. C'est à ce moment qu'il remarqua les chaussures du pénitencier. Il eut l'air terrifié.

— Où les as-tu trouvées ?

Marcus ne comprenait pas.

Crespi recula.

— Qui te les a données ? demanda-t-il en indiquant du bras les chaussures en toile blanche.

Pourquoi avait-il aussi peur ?

— Je ne m'en souviens pas, dit Marcus.

Le vieux policier se tourna vers Sandra.

— Tu m'as trahi, l'accusa-t-il.

Elle se pencha vers lui et lui posa une main sur l'épaule.

— Personne ne t'a trahi. La seule chose dont je suis certaine, c'est qu'il n'est pas un ennemi. Tu veux qu'il se déshabille pour te prouver qu'il n'a aucun tatouage ?

— Non, répondit Crespi après réflexion. De toute façon, vous faire confiance est la seule possibilité qui me reste...

— Alors où as-tu mis la valise ?

— Protégez-moi et je vous le dirai.

— Il faut encore que tu nous racontes le reste.

— En temps voulu et à mes conditions, affirma le commissaire. Chaque fois que vous voudrez quelque chose, je vous demanderai quelque chose en échange.

Crespi savait que son âme était perdue, mais il pouvait encore sauver sa vie.

— D'accord, dit Marcus en soulevant le sac de sport que Crespi avait apporté. Nous allons t'emmener dans un endroit sûr.

Avec la torche du commissaire, ils se dirigèrent vers l'appartement relais de la via del Governo Vecchio, qui était situé entre le château Saint-Ange et la piazza Navona, les lieux les plus touchés par l'inondation. Marcus n'était pas certain qu'ils y arriveraient. Mais une fois à la piazza Sant'Eustachio, ils constatèrent qu'à partir de là, les eaux s'étaient retirées rapidement, laissant derrière elles des détritus en tout genre. Par terre gisait un tapis d'objets du quotidien – Sandra remarqua une pantoufle, une louche, une poupée. Le tout recouvert de boue.

Sandra, Marcus et Crespi pataugeaient dans la vase qui leur arrivait parfois jusqu'aux genoux. Il leur fallut plus d'une heure pour atteindre leur destination. La zone était dévastée, et donc sûre. Aucun vandale ni pauvre hère au regard vide n'y traînait.

Sandra conduisit Crespi dans le petit appartement. Devant la cheminée gisaient encore les restes du pique-nique qu'elle et Marcus avaient improvisé.

— Il y a des boîtes de thon et des crackers, l'informat-elle. Tu trouveras aussi des bouteilles d'eau.

— Je veux juste fumer, répondit Crespi.

Il sortit un paquet de cigarettes de sa poche. Apparemment, le commissaire avait décidé de reprendre son vice.

Marcus avait ouvert le sac de sport contenant ce que Sandra avait demandé à Crespi : une torche électrique, des piles de rechange, un survêtement et des chaussures de sport pour elle, deux pistolets – un revolver et un automatique – et, enfin, deux téléphones satellitaires. Mais c'étaient des modèles dépassés.

— On t'avait demandé deux radiotéléphones. Qu'est-ce que tu veux qu'on fasse de ces trucs ?

— Ça ira, la rassura le vieux policier. De toute façon, je n'ai rien trouvé de mieux.

— Maintenant, tu es en sécurité. La valise, ordonna Sandra, lui rappelant leur accord.

— Je l'ai laissée dans un hôtel à la gare Termini. L'hôtel Europa, chambre 117.

Crespi fouilla dans sa poche et lui remit la clé.

— Pourquoi ? demanda Sandra avec un soupir de déception.

— Vas-y, crucifie-moi…, répondit le commissaire en baissant les yeux.

— Je pensais que tu croyais en Dieu, que tu étais un bon chrétien.

L'homme s'assit et tira sur sa cigarette.

— L'hostie noire. Dieu a abandonné l'homme sur une petite planète dans l'Univers immense. Il l'a entouré d'une nature magnifique mais hostile. Puis Il s'est caché et a observé sans rien dire… Il nous a laissés ici, seuls et apeurés, nous demandant : « Pourquoi sommes-nous dans ce lieu ? », ou bien : « D'où venons-nous ? Où irons-nous ? Quel père ferait ça à son fils ? », expliqua-t-il en cherchant un peu de compréhension dans leur regard, en vain. Le Seigneur des ombres, lui, nous a rendu la *connaissance*… Quand on goûte sa communion, on reçoit en échange le don du savoir.

Sandra se rappela les phrases en araméen prononcées par le drogué.

— Quelle connaissance ?

— Elle est différente pour chacun de nous. Certains désirent obtenir des réponses à des questions distantes de l'homme, d'autres veulent simplement regarder en eux-mêmes et découvrir qui ils sont vraiment. Moi, par exemple, j'ai demandé à l'hostie noire de me révéler le sens de ma vie.

— Tu as obtenu la réponse que tu cherchais ? demanda Marcus avec mépris.

— Oui, affirma l'autre avec une confiance orgueilleuse.

— Foutaises, intervint Sandra.

Elle était sûre qu'il y avait autre chose. Elle connaissait trop bien le commissaire pour savoir qu'il n'était pas facile de le corrompre.

— Bien, au point où j'en suis…, reprit Crespi en riant, conscient qu'il ne la tromperait pas. Il y a des années, j'ai tué une femme. Je ne l'ai pas fait exprès, c'était un accident. Je l'ai renversée avec ma voiture et je me suis enfui, expliqua-t-il avant de marquer une pause. Elle était enceinte, vous savez ? Une petite fille.

— Je ne comprends pas le rapport, dit Sandra, méprisante malgré sa surprise.

— Moi je l'ai compris avec le temps… Dieu m'a fait faire une chose terrible à Sa place. Peut-être parce qu'Il n'en avait pas envie. Je ne sais pas pourquoi Il m'a choisi, s'interrogea-t-il en sortant un mouchoir. Il aurait pu prendre cette femme et sa fille de maintes façons. Une maladie, par exemple, ou une complication de la grossesse. Pourtant, Il a voulu que quelqu'un d'autre fasse le sale boulot. Un fils dévoué dont Il n'avait rien à faire.

Sandra était scandalisée par le manque de cohérence de cet homme.

— Et tout cela justifierait le sacrifice d'innocents ? Le meurtre de Tobia Frai ? Parce que vous l'avez tué, n'est-ce pas ?

Crespi secoua la tête avec rage.

— Vous ne pouvez pas comprendre ce que c'est. À quel point ton désir de vérité est-il fort ? Jusqu'où irais-tu pour lever le voile trompeur de l'oubli ? demanda le commissaire avec des yeux de plus en plus fous. Comment se prétendre probe, bon chrétien, sans avoir jamais expérimenté le mal et l'iniquité ?

Marcus repensa à l'évêque Gorda. Il avait voulu se mettre à l'épreuve. Le vieux prélat possédait une part d'ombre en lui et il le savait, et peut-être était-ce une façon de la faire émerger. Alors pourquoi ne pas essayer ?

— Comment trouver le courage de regarder dans les yeux tes enfants ou la femme que tu aimes si tu n'es pas sûr de toi-même ? Si tu ne sais même pas qui tu es ? Je devais savoir si c'était vraiment ma faute ou si Dieu avait agi à travers moi pour que personne ne puisse lui attribuer la responsabilité de la mort d'une femme enceinte. L'hostie noire m'a révélé la vérité.

Crespi ressemblait à un prédicateur en quête de disciples.

— Le Seigneur des ombres a parlé par le biais du Maître… L'Évêque, le Fabricant de jouets et l'Alchimiste sont au service du Maître des ombres.

Soudain, sa ferveur retomba :

— Le reste plus tard. C'était l'accord.

Marcus secoua Sandra par la manche.

— Change-toi et allons-y, dit-il.

Elle tendit la main vers Crespi.

— Ton insigne.

Le commissaire le lui remit sans dire un mot. Avant de s'éloigner, Sandra le regarda une dernière fois.

— Ton dieu noir t'a déjà oublié, misérable homme.

Il les regarda sortir sans un mot. Une fois seul, Crespi n'avait plus qu'à régler ses comptes avec sa conscience. Peut-être aurait-il dû leur parler tout de suite de la maladie. Mais c'était trop tard.

Il s'installa à côté de la cheminée éteinte pour fumer. Il termina le paquet en moins d'une demi-heure. Puis il regarda autour de lui. Qu'était donc cet endroit ? Il y avait un vieux PC et un téléphone relié à une ligne fixe. Était-ce le domicile de l'homme qui accompagnait Sandra ? Pourtant, on n'aurait pas dit que quelqu'un y vivait. Crespi décida de fureter un peu.

Avec une bougie, il perquisitionna l'appartement. La cuisine, la salle de bains, la chambre à coucher. Cela ressemblait plus à un refuge qu'à une maison. Mais ensuite, il vit une porte fermée. Il tenta de l'ouvrir, en vain. Il renonça et retourna à la cuisine, à la recherche des boîtes de thon et des crackers dont avait parlé Sandra. En fouillant dans le placard, il s'arrêta : il ne pouvait supporter ce doute. Les événements des dernières heures l'avaient rendu paranoïaque. Il retourna vers la porte et essaya de la forcer, mais elle semblait verrouillée de l'intérieur.

Il passa quelques minutes assis dans le salon, fixant la pièce interdite à la lumière de la bougie. Il n'arrivait pas à l'ignorer.

Il saisit un tison et l'utilisa comme levier pour fracasser la serrure. Il sentit un courant d'air glacé sortir de l'antre sombre. Il examina l'intérieur avec sa bougie : rien d'intéressant. Juste une grande pièce vide avec une armoire en bois.

Toutefois, le meuble était scellé avec du scotch isolant.

Crespi s'en approcha, se demandant ce qu'il pouvait contenir. Ne pouvant se faire une raison, il décida de vérifier par lui-même. Il déchira le scotch et ouvrit les portes. Un énorme sac tomba d'une étagère, déclenchant une avalanche de poussière foncée. La bougie s'éteignit et la porte se referma avec un bruit sec.

— Mais qu'est-ce que…, protesta-t-il.

Il tenta d'ouvrir, inutilement. Il y avait une deuxième serrure, qui s'était bloquée. Il trouva un briquet dans sa poche et s'en servit pour rallumer la bougie.

Le nuage gris s'était en partie déposé sur le sol et les murs. Mais il était si léger qu'au moindre mouvement, il se soulevait à nouveau. De la cendre, pensa Crespi.

Malgré lui, il l'inhala.

11

Ils se retrouvèrent dans la rue.

Ils avaient du mal à marcher, entre la boue et tout ce qui jonchait le sol. À ce rythme, il leur faudrait une éternité pour arriver à Termini. Marcus regarda autour de lui, puis il se dirigea vers un tas de déchets d'où pointait un guidon. Il prit appui sur son pied, tira. Sandra accourut pour l'aider. Peu après, ils en sortirent une moto Honda. Hormis quelques égratignures, elle était intacte. Le pénitencier trafiqua les câbles et tenta de la démarrer, en vain.

— Carburateur mouillé, décréta-t-il.

La dixième tentative fut la bonne.

Ils montèrent en selle et, tandis qu'ils avançaient sur le terrain accidenté, Sandra se serra contre lui. Ils n'avaient jamais été aussi proches. La pluie les trempait, elle avait froid, mais elle pouvait sentir le cœur de Marcus qui battait.

— J'ai trouvé l'Évêque, Gorda, et le Fabricant de jouets, lui dit-il. Il nous manque l'Alchimiste, puis le Maître des ombres.

— Tu crois qu'il existe vraiment ?

Il se le demandait, lui aussi.

— Généralement les sectes sont des organisations secrètement oligarchiques, elles font croire à leurs adeptes qu'ils obéissent aux décisions d'un chef charismatique : une figure ascétique, distante et inatteignable, ça crée plus de prise sur les psychés faibles.

— Crespi nous aidera, affirma Sandra. Je le crois, quand il dit qu'il veut en sortir. Tu l'as vu, toi aussi : il est terrorisé.

— Tu penses qu'il connaît l'identité de l'Alchimiste ?

— Je ne sais pas, dit Sandra. Tu as entendu ce qu'il a raconté sur les rencontres des adeptes, non ? Tu y crois, toi, aux tuniques noires et aux masques ?

— Qu'est-ce qui ne colle pas, à ton avis ?

La policière y réfléchissait depuis un moment.

— Je ne sais pas, mais j'ai du mal à y croire et je voudrais vraiment que cette histoire ne soit qu'un gigantesque leurre.

Marcus, lui, était tracassé par une autre énigme. Pourquoi le commissaire avait-il été si troublé en voyant ses chaussures de toile blanche ?

Ils arrivèrent en vue de la gare. Tout était tranquille. Quand le pénitencier éteignit la moto, ils furent entourés par un silence spectral.

Après quatre-vingt-six heures, la pluie avait cessé. Mais ils regrettaient déjà ce bruit familier.

L'hôtel Europa se trouvait via del Castro Pretorio. C'était un petit établissement qui accueillait pour la plupart des pèlerins. À l'entrée, une porte tournante en verre était actionnée par un détecteur de mouvements. Évidemment elle ne fonctionnait pas, et elle avait été fermée par un cadenas. Derrière, le comptoir de la réception était vide.

— À mon avis il n'y a personne, affirma Sandra en scrutant le hall, les mains posées sur la vitre.

Marcus sortit le pistolet automatique et tira sur le cadenas. Ils s'introduisirent dans l'hôtel.

Ils pensaient être accueillis par le silence mais ils entendirent un son strident, léger, comme un bruit de fond.

— Qu'est-ce que c'est que ce bruit ? demanda le pénitencier.

Sandra le reconnut : il faisait partie de son enfance et elle ne l'avait pas entendu depuis des années. Il provenait de derrière le comptoir. Elle se pencha et aperçut un petit transistor. Le volume du haut-parleur était bas, on percevait à peine une voix masculine.

— Nous nous sommes peut-être trompés, dit-elle en regardant autour d'elle. Je crois qu'il y a quelqu'un.

— Sors, intima Marcus à l'obscurité. Nous ne voulons pas te faire de mal.

Au bout de quelques secondes, un petit bonhomme qui serrait dans ses mains une batte de baseball apparut derrière un rideau.

— Que voulez-vous ? demanda-t-il en tremblant.

Sandra lui montra l'insigne de Crespi, cela sembla le calmer.

— Je suis le veilleur de nuit, expliqua-t-il en baissant sa batte. L'hôtel est quasiment vide. À part moi, il y a un groupe de Boliviens venus rencontrer le pape à l'audience générale du mercredi.

Ils n'avaient pas eu de chance, pensa Sandra. Ils avaient parcouru la moitié de la planète pour se retrouver dans ce bazar.

— Hier soir quelqu'un est venu prendre une chambre : la 117. C'est exact ? demanda Marcus.

— En effet, je me rappelle l'avoir louée vers 23 heures.

— Vous vous souvenez si le client s'appelait Crespi ?

Ils voulaient être sûrs de ne pas être tombés dans un piège.

— Il faut que je vérifie dans le registre des présences, dit l'homme sur la défensive.

— Laissez tomber, l'interrompit Sandra. Vous pourriez me décrire cette personne ?

— En fait, il existe une loi sur la vie privée, rechigna l'homme en la regardant de travers. Bon, de toute façon, ça ne peut pas être pire… Il était trapu, la soixantaine, et il puait la cigarette.

C'était lui. Sandra prit la clé et la lui montra.

— Nous devons monter, annonça-t-elle.

— D'accord, mais je vous accompagne, parce que ces cons de Boliviens se sont barricadés au premier étage et ils ne laissent passer personne.

Le gardien se dirigea vers l'escalier. Quand ils contournèrent son poste de travail, Sandra jeta un coup d'œil au transistor.

— Ah, ça, dit l'homme en constatant son intérêt. Ce matin je me suis rappelé que je l'avais remarqué dans la réserve il y a quelque temps. Il doit avoir quarante ans et ça a été toute une histoire pour trouver les bonnes piles. Mais j'ai fait tout ça pour rien… Les transmissions digitales ont cessé et je pensais qu'ils diffuseraient le journal sur les fréquences AM, mais non, rien du tout.

Ils montèrent.

— À propos, vous avez des nouvelles de ce qui se passe en ville ?

— Comment, vous ne savez rien ? demanda Sandra avec étonnement.

— Non, répondit l'autre avec candeur. Cet État de merde vole nos impôts et quand nous avons vraiment besoin de nouvelles, pas moyen d'être informés.

Le monde hyperconnecté avait vraiment fait un bond technologique en arrière. À quelques centaines de mètres avaient eu lieu des événements violents, des incendies et même une crue du Tibre, or cet homme n'était pas au courant.

— Alors qu'était cette voix que j'ai entendue à la radio en arrivant ?

— Un maniaque, un fils de pute qui essaie de terroriser les idiots comme moi, qui font encore confiance au service public... Ça fait des heures que ça dure – que Dieu le maudisse.

Une fois au premier étage, le gardien tenta d'expliquer aux pèlerins boliviens, dans un espagnol incertain, qu'il n'y avait aucun danger : ils devaient juste passer. Il s'agissait d'un groupe d'hommes et de femmes entre deux âges, terrorisés.

— Vous devrez payer les dégâts ! les menaça-t-il.

Marcus avança et leur parla dans leur langue. Il les calma, puis les bénit. Ils s'agenouillèrent et firent le signe de croix. Ensuite, ils déplacèrent les barricades.

— Votre ami est prêtre ? demanda le veilleur de nuit à Sandra.

— Oui.

— Un prêtre avec un pistolet ?

— Oui.

Elle était aussi étonnée que lui parce que souvent, elle l'oubliait, et le voir se comporter en homme d'Église était une expérience nouvelle pour elle aussi.

Ils se retrouvèrent devant la chambre 117.

Marcus se tourna vers leur guide et lui plaça son arme dans la main.

— Ils pourraient arriver, dit-il seulement.

— Qui ? demanda le gardien, à nouveau terrorisé.

Marcus ne répondit pas.

— À partir de là, nous poursuivrons seuls, merci.

Sandra glissa la clé que lui avait remise Crespi dans la serrure.

— Je n'arrive pas à croire que tu lui aies donné un de nos pistolets.

— Il en a plus besoin que moi. Fais-moi confiance.

Ils entrèrent et balayèrent l'obscurité avec leur lampe. La chambre était parfaitement en ordre. Un lit double, des lampes de chevet sur les tables de nuit, une grande armoire murale. Sur les murs, des aquarelles bon marché représentant la Rome du passé. La moquette était crasseuse et dégageait la forte odeur typique de certains désodorisants. Ils refermèrent la porte derrière eux et cherchèrent la valise. Sandra s'occupa de l'armoire, Marcus regarda sous le lit.

— La voici, annonça-t-il.

Il la déposa sur le matelas.

Elle était en cuir marron griffé par le temps et usée sur les bords. Elle s'ouvrait avec un code.

— Qu'est-ce qu'on fait ? demanda Sandra. On ne peut quand même pas tirer, s'il y a quelque chose de fragile dedans on risque de l'abîmer.

— Il y a peut-être un moyen.

Marcus alla à la salle de bains et arracha le siphon du petit lavabo. Puis il revint et, avant de s'attaquer aux fermoirs, dit à Sandra :

— Il pourrait y avoir n'importe quoi là-dedans. Y compris un engin incendiaire.

— Je pensais la même chose… Si quelqu'un essaie d'éliminer les membres de l'Église de l'éclipse par la torture, il est peut-être arrivé à la valise avant nous. Il pourrait avoir placé un piège pour Crespi.

Marcus la regarda.

— Il n'y a pas d'autre moyen, mais je voudrais tout de même que tu t'éloignes.

— Non, je reste ici.

Elle semblait décidée. Il savait à quel point il était difficile de lui faire changer d'avis, aussi il prit le morceau de métal et l'abattit sur la serrure. Une dizaine de coups suffirent à la faire sauter. Il posa le siphon sur la moquette et Sandra souleva le couvercle.

La valise contenait des vêtements de différentes tailles, parfaitement pliés. Rien d'étrange. Mais ce qui surprenait – l'anomalie – était qu'il s'agissait de vêtements pour enfant.

— Oh non, dit Sandra en les sortant et en observant les tailles. Quatre, sept, neuf, douze ans. Tous pour garçon.

Ils pensaient à la même chose, comprit Marcus. Il n'y avait pas eu que Tobia Frai. D'autres innocents étaient tombés entre les mains de l'Église de l'éclipse. Qui étaient ces enfants ? Qu'étaient-ils devenus ?

Puis la policière trouva des vêtements qui lui étaient familiers : un tee-shirt et une casquette de l'équipe de la Roma.

— Tobia, dit-elle seulement.

Le plus innocent des innocents : le fils d'une sœur. Bouleversée, elle les serra contre elle. Qui aurait le courage de le dire à sa mère ? se demanda-t-elle tandis que les larmes coulaient sur son visage.

— Monstres.

Elle ravala péniblement sa rage. Elle posa le tee-shirt et la casquette sur le lit, se demandant s'ils conservaient trace de l'odeur de l'enfant. Un souvenir olfactif que seule une mère pourrait reconnaître, même neuf ans plus tard. Or Sandra ne voulait pas priver Matilde de la dernière possibilité d'être proche de son petit, d'une certaine façon. Cette femme avait déjà payé un prix très élevé : en plus, elle avait été accusée d'avoir fait disparaître son fils, ce qu'elle avait de plus précieux au monde.

— Attends un moment, dit Marcus dans son dos.

Il prit les vêtements et les posa en ordre sur le couvre-lit, en commençant justement par ceux de Tobia.

— Que se passe-t-il ?

Le pénitencier compléta son œuvre. Quand ils furent tous devant lui, il parla :

— Regarde, dit-il en indiquant le tee-shirt et la casquette. Le plus petit est Tobia, qui a disparu quand il avait trois ans. Le plus grand avait douze ans, continua-t-il en se tournant vers Sandra. Et ce sont tous des garçons.

Mais elle ne comprenait toujours pas.

— Maintenant, compte-les, dit le pénitencier.

Sandra s'exécuta : une blouse, une chemise, un pantalon… La liste s'achevait avec un petit pull rouge.

— Dix.

— Un pour chaque année, à partir du jour de la disparition, confirma Marcus.

— Ils pourraient tous appartenir au même enfant ?
Sandra n'arrivait pas à y croire. Elle se tut.

— Oui, confirma le pénitencier, lisant dans ses pensées. Tobia pourrait être encore vivant.

12

6 heures et 43 minutes avant l'aube

Il se réveilla quand il sentit le liquide chaud courir entre ses jambes. *Je me suis pissé dessus*, pensa Vitali.

Puis, comme un coup de poing au visage, les souvenirs affleurèrent. *Je suis mort. Non, je ne suis pas mort, mais je devrais l'être, ça oui.* Il essaya d'ouvrir les yeux. Il ne put soulever qu'une paupière, parce qu'une partie de son visage était tuméfiée, il le sentait. Il faisait noir et cela puait l'eau stagnante et l'huile de moteur. Des petites gouttes résonnaient dans le silence. *Où suis-je ?* Il essaya de se lever, il avait mal partout. La dernière image qu'il se rappelait était d'avoir été projeté à plusieurs reprises par le courant contre les parois d'un tunnel, comme une poupée de chiffon. Quand il essaya de faire pivoter le haut de son corps, des milliers de lumières explosèrent devant ses yeux, comme des feux d'artifice. Il hurla de douleur. Il ne sentait plus son bras droit, il avait probablement l'épaule luxée. Il se mit péniblement debout. Il avait du mal à garder l'équilibre, sa tête tournait, il ne pouvait s'orienter. Il était pieds nus mais c'était supportable. En revanche, ce qui ne l'était pas, c'était d'avoir perdu les mocassins marron auxquels il tenait tant.

— Hé! cria-t-il à l'obscurité.

Il se trouvait sous terre, mais plus dans les égouts, il en était certain. L'eau aurait pu l'avoir traîné n'importe où. Le sous-sol de Rome était riche de surprises géologiques et historiques, dont certaines n'avaient jamais été révélées. L'idée d'avoir fini dans un satané temple dédié à Jupiter à cinquante mètres sous terre ne l'enchantait pas, même s'il était peut-être le premier être humain à y mettre les pieds après des milliers d'années. Il rit à cette pensée – bien que ses côtes soient très douloureuses, il rit fort. Il imaginait la tête des archéologues s'ils le retrouvaient un jour ici. Ils se demanderaient ce que faisait là une momie en costume gris clair et cravate bleue. *Je finirai peut-être dans un musée*, se dit l'inspecteur.

Rire lui avait fait du bien. *Je suis vivant, autant jouer ma dernière carte.*

Il tenta de faire quelques pas. Au premier, il trébucha et se retrouva le visage contre le sol dur. Il eut envie de jurer. En chassant l'obstacle qui avait provoqué sa chute, il s'aperçut que quelque chose était accroché à sa cheville, qui ressemblait à une couleuvre. Il fit un bond en arrière mais la bête ne voulait pas lâcher sa prise. Quand il se calma enfin, il trouva le courage de tendre son bras sain pour s'en libérer.

Ce n'était pas un serpent mais la bandoulière d'un sac.

Vitali le tira, ouvrit la fermeture éclair et fouilla dedans. L'intérieur était à peu près intact. Il y avait même du papier encore intègre. Au toucher, il sentit une consistance familière. Un insigne. *Sandra Vega,* pensa-t-il. C'était son sac. Il se rappela s'y être accroché pour ne pas couler. Il espéra de tout son cœur que sa collègue soit une fumeuse, ou qu'elle ait emporté quelque chose pour allumer une bougie. *Dis-moi que tu l'as fait, espèce de crétine.* Son souhait fut exaucé : il trouva un briquet.

Il le saisit de la main gauche et tenta de l'actionner avec son pouce. Mais, n'étant pas gaucher, il faillit lâcher sa prise. L'idée d'égarer son unique espoir de survie l'atterra. *Du calme*, se dit-il. Il réessaya. La flamme s'alluma et s'éteignit aussitôt. Toutefois, durant ce bref instant, il avait pu apercevoir un antre noir. Ce n'était pas un temple. Et puis, il y avait un léger courant d'air, dont il ne s'était pas aperçu, et qui avait éteint le briquet. À la troisième tentative, il le ralluma. La faible chaleur qui irradia le long de sa main le réconforta. Il promena la flamme autour de lui. Il se trouvait dans un tunnel. L'eau avait abattu le mur des égouts à la recherche d'une sortie et fait irruption dans une galerie beaucoup plus grande. Quand il baissa le briquet, Vitali comprit où il se trouvait.

Deux morceaux d'acier bruni couraient dans le noir, parallèles. *Des voies*, pensa-t-il. *Le métro.*

Il se leva à nouveau et, au prix de quelques efforts, suivit les rails. Il regarda d'un côté, puis de l'autre. Il fallait décider vers où aller, et ce n'était pas simple, parce qu'il pouvait à nouveau croiser le fleuve souterrain, être enfoui sous un éboulement. Il serait ridicule de finir ainsi après avoir survécu à une noyade certaine.

Le sac de Sandra en bandoulière et le bras droit pendant le long de sa hanche, il opta pour la gauche – c'était de là que provenait le petit vent qu'il avait senti.

La flamme s'éteignit plusieurs fois durant le trajet, néanmoins au bout de deux cents mètres il atteignit une station. *Flaminio*, lut-il sur les pancartes. Il parvint à se hisser sur le quai : il s'en approcha, prit son élan et s'élança, hanche gauche en avant. Son cri de douleur se perdit dans l'écho. Il avait les larmes aux yeux, mais son épaule s'était remise en place. Vitali essaya plusieurs fois d'ouvrir et de refermer la main. Il avait encore mal, mais c'était supportable. Peu après, il se retrouva au niveau des tourniquets et de la billetterie automatique. Il y avait aussi un distributeur de boissons, éteint. Le policier aurait tant voulu approcher ses lèvres arides d'une boisson, même chaude. Il tenta d'ouvrir la machine, puis de briser la vitre à l'aide de l'insigne trouvé dans le sac, mais le verre était trop épais. Le bonheur était à portée de main, mais il dut y renoncer. Toutefois, avant de partir, il vit le reflet de son visage. La moitié était un masque de bleus violacés. *Il faudra attendre des siècles avant de baiser à nouveau*, pensa-t-il. Il monta l'escalier qui menait à la surface et se retrouva devant la grille qui fermait l'entrée de la station. Heureusement, quelqu'un l'avait forcée. Il sortit sur la place et regarda vers la porta Flaminia, qui tenait son nom de l'ancienne route consulaire.

Derrière les énormes remparts commençait la piazza del Popolo, siège des affrontements de la nuit. Pourtant, il n'entendit qu'un inquiétant silence, que la clarté des feux rendait encore plus spectral.

Vitali franchit l'arc remontant à l'an 1000. Devant lui s'étendait un désert de déchets et de restes humains. Il pensa aux barbares, mais ce qu'il vit ne ressemblait en rien à la description qu'il avait lue du sac de

Rome au Vᵉ siècle, œuvre d'Alaric et des Wisigoths. L'épisode sanguinaire avait été interprété par saint Augustin comme la punition divine contre la Rome capitale de païens qui ne voulait pas accepter le christianisme. Cette fois, les barbares n'étaient pas des envahisseurs. Pour la plupart, ils étaient nés et avaient grandi là.

La maladie, se dit-il.

Les lions de pierre qui gardaient la fontaine et l'imposant obélisque avaient été défigurés. Il y avait une camionnette de Police secours : ils avaient été les premiers à accourir quand les troubles avaient éclaté, se rappela l'inspecteur. Le véhicule avait été abandonné par les agents, puis quelqu'un s'en était servi pour se hisser sur un lampadaire. Un homme en uniforme était accroché au poteau, pieds et poings liés.

Ils l'avaient tabassé à mort.

Son visage était défiguré, il ne semblait plus avoir un seul os entier, mais Vitali remarqua que la montre qu'il portait au poignet fonctionnait toujours. *Ridicule*, pensa-t-il. Le connaissait-il ? Peut-être. Combien de fois s'étaient-ils croisés dans les couloirs de la préfecture de police ? Il aurait voulu dire une prière, mais s'adresser aux saints n'avait jamais été son fort. La seule chose qu'il pouvait faire pour les morts, c'était survivre. Aussi monta-t-il à bord de la camionnette. Les pneus étaient à plat, mais il démarra et s'éloigna, abandonnant le cadavre du policier.

Il avait eu de la chance de réussir à passer entre les voitures et les poubelles qui se trouvaient en travers des rues. Néanmoins, il avait dû abandonner son véhicule via Veneto et poursuivre à pied. La rue de *La Dolce Vita* avait été transformée en bivouac. Un tapis de bouteilles, de vitrines détruites, d'inscriptions sur les murs. L'Excelsior, le Grand Hôtel, le Baglioni et les autres établissements de luxe à cinq étoiles avaient subi un véritable saccage. Aucun son ne montait des façades noircies et encore fumantes. Enfin, Vitali atteignit l'entrée du bunker de la fourmilière. Dehors, il y avait un barrage de voitures et d'hommes armés. Son bras droit lui faisait encore mal mais il avança les mains levées, espérant que personne ne soit sur les nerfs au point de tirer à vue.

— Qui va là? demanda une voix.

— Inspecteur Vitali, répondit-il.

— Identifiez-vous plus précisément, reprit l'autre.

— J'ai un insigne, mais je dois approcher pour que vous le voyiez, annonça-t-il en se référant à celui qu'il avait trouvé dans le sac de Sandra.

— Restez où vous êtes et identifiez-vous, j'ai dit.

Vitali soupira. Il n'y avait pas moyen de raisonner un pointilleux en uniforme.

— Je suis le chef du bureau des statistiques sur le crime et la criminalité, dit-il en manquant d'éclater de rire.

De l'autre côté, silence. Apparemment, on vérifiait.

— D'accord, vous pouvez passer, dit la voix. Mais gardez les bras levés.

Le médecin de la fourmilière l'ausculta. Il compta plusieurs petites blessures et contusions diverses, ainsi qu'une fracture de la pommette. Par précaution, il lui banda le visage et lui donna une boîte de Toradol en comprimés.

Vitali prit une douche dans la salle de bains du cabinet de consultations, puis on lui donna des vêtements propres – un jean, un polo et une paire d'Adidas qui semblaient tout droit sorties d'une boutique vintage. Il réussit même à se faire apporter une boisson fraîche, qu'il savoura en pensant aux canettes enfermées dans le coffre-fort du distributeur éteint dans le métro. Il avala ses deux premiers comprimés d'antidouleur, mais il aurait donné n'importe quoi pour pouvoir se faire un rail de cocaïne.

Quand il fut requinqué, il se remit au travail. Peut-être que Sandra Vega et son étrange ami silencieux avaient rendu l'âme dans les tunnels, mais tout était possible.

Il manquait plusieurs heures avant l'aube et c'était l'occasion pour Vitali d'arrêter la maladie avant qu'elle se propage au-delà des frontières de la ville. Le mauvais temps et le black-out avaient rendu possible la contagion, mais dans le fond, ils avaient aussi permis de la contenir, comme une quarantaine forcée.

Se demandant à quel point Sandra Vega était impliquée, ou du moins ce qu'elle savait réellement de cette histoire, il fouilla dans son sac. Il tomba sur la feuille de papier qu'il avait sentie au toucher dans le tunnel du métro. Il la déplia. C'était une liste.

Méthode de crime : anciennes pratiques de torture.
Chaussures en toile blanche (Marcus et l'évêque
Gorda). Hostie noire (drogué).
Tatouage en forme de cercle bleu : Église de l'éclipse.
Sacrifices de victimes innocentes.

Black-out – Léon X.
Calepin mystérieux.
Tobia Frai.

La liste se concluait par un ajout tout en bas :

Élément accidentel : amnésie transitoire de Marcus.

— Marcus, répéta Vitali à voix basse.

Il se rappela l'homme qui saignait du nez et qui, en effet, portait des chaussures en toile blanche. Maintenant, il savait comment il s'appelait et qu'il avait subi une perte de mémoire temporaire. Il devait découvrir qui il était.

Il déduisit un autre élément de la liste : ces deux-là avaient découvert l'identité de l'Évêque. Vitali avait été étonné de lire le nom d'Arturo Gorda. Il s'était demandé qui pouvait être le mystérieux personnage de la secte, mais il n'aurait jamais imaginé qu'il puisse s'agir d'un vrai religieux.

Il se demanda s'ils avaient également identifié le Fabricant de jouets. Mais ce qui intéressait surtout l'inspecteur, c'était l'Alchimiste. Il n'était pas mentionné sur la feuille, toutefois on faisait référence à un mystérieux carnet. S'il mettait la main dessus, il trouverait peut-être la solution de l'énigme. Ou peut-être pas.

Tandis qu'il réfléchissait à tout cela, un agent l'appela :

— Le chef veut vous voir dans son bureau.

Le préfet De Giorgi l'attendait avec le chef de la police Alberti. Ils avaient le visage sombre.

— Asseyez-vous, inspecteur, l'invita Alberti.

Vitali prit place face au bureau sur lequel était dépliée une carte de Rome.

— Nous avons de bonnes et de mauvaises nouvelles.

— D'abord les bonnes, demanda Vitali, qui en avait assez des malheurs.

— Nous sommes parvenus à circonscrire la révolte.

Le terme « révolte » ne semblait plus approprié, se dit l'inspecteur. Mais il évita de le préciser.

Alberti indiqua une zone sur la carte.

— Nous avons calculé que les rebelles sont environ un millier. Ils nous ont pris par surprise sur la piazza del Popolo parce que nous ne nous attendions pas à une agression aussi violente. Mais ensuite, ils ont continué au-delà des murs de l'Aurelia et du Gianicolo.

— Le Tibre nous a bien aidés, intervint le chef de la police. Il les a empêchés de poursuivre plus loin que le centre historique.

— Nous parlons d'une zone de quinze kilomètres carrés, avec une population de quatre-vingt-cinq mille habitants.

Vitali observa la carte.

— D'accord… Maintenant, les mauvaises nouvelles.

— Ils évoluent dans les sous-sols et sortent pour tendre des embuscades à nos hommes : beaucoup d'agents sont blessés, il y a même des morts.

« Je sais », aurait voulu leur dire l'inspecteur. Il avait eu un tête-à-tête mouvementé avec trois d'entre eux dans les égouts.

— Je continue de penser que nous aurions pu éviter les événements de cette nuit, dit le chef, désespéré. Vous nous aviez prévenus mais nous ne vous avons pas écouté.

Vitali haussa les épaules, comme si cela ne le concernait plus.

— L'Église de l'éclipse attendait l'occasion pour donner le coup d'envoi à la dévastation. La prochaine éclipse lunaire à Rome était prévue dans six ans, ils ont saisi l'occasion offerte par le black-out.

— D'abord, nous vous présentons nos excuses, l'interrompit le préfet. Maintenant, vous devez nous dire comment interrompre tout cela.

L'inspecteur réfléchit.

— J'ai entendu dire que l'armée arrive en ville. Eh bien, dites à ces soldats que chaque fois qu'ils rencontreront quelqu'un qui a le regard éteint, il faudra tirer.

— Vous êtes fou ! l'apostropha le chef de la police.

— Vous ne comprenez pas, n'est-ce pas ? demanda Vitali en secouant la tête, amusé. Vous vous êtes enfermés dans ce bunker, alors que moi je suis sorti. J'ai touché du doigt la destruction. Vous soutenez que ça a été circonscrit, mais je dois vous dire qu'en fait nous avons perdu le contrôle : le compte à rebours a commencé et rien ne pourra l'arrêter.

Le chef de la police tapa du poing sur la table.

— Il doit bien y avoir un moyen !

— J'en ai tué quatre aujourd'hui, avoua Vitali sans craindre les conséquences – le premier était celui qui avait voulu lui voler son portefeuille. Je vous assure qu'il n'y a pas d'autre moyen. L'Alchimiste a été très fort, il nous a pris de court.

— N'existe-t-il pas d'antidote ? demanda De Giorgi, qui perdait patience.

— Même si nous réussissions à le concevoir, ceux qui ont pris l'hostie ne seraient jamais suffisamment lucides pour se rendre à l'hôpital et se le faire administrer.

— Alors que suggérez-vous ? demanda Alberti.

— Dans l'hypothèse la plus favorable, de faire confiance au temps. Dans le passé, les effets de la maladie se sont atténués avec les heures.

— Et dans la pire ?

— De commencer à prier sérieusement. Cette fois, c'est différent. J'ai eu l'impression que la peste noire avait évolué : il y a quelque chose qui déchaîne la violence de ces bâtards, même si je ne saurais pas dire quoi.

Il repensa aux trois hommes dans le tunnel, à la façon dont ils avaient sauté sur Sandra et Marcus quand la lumière de la torche s'était éteinte.

— Il faudrait en capturer un pour l'examiner et savoir si je me trompe.

Ses deux supérieurs se regardèrent sans dire un mot.

— Il y a aussi un autre problème, annonça le chef de la police.

Vitali avait perdu le compte des mauvaises nouvelles.

— Lequel ?

— Le communiqué.

Avant que l'inspecteur puisse demander des explications, le préfet de police prit la parole :

— Sans portables, radios numériques ni télévision, les citoyens ont recours à des moyens du passé. Par exemple, ils utilisent des transistors pour essayer d'avoir des nouvelles.

Il sortit de sa poche un petit enregistreur numérique et le posa sur la table.

— Nous en avons eu connaissance parce que le signal AM a interféré avec les canaux de communication d'urgence.

— De quoi parlez-vous ? demanda l'inspecteur.

— D'une transmission radio qui sème la panique, y compris parmi nos hommes.

Le préfet de police actionna l'appareil. Couvrant les interférences, une voix masculine parla sur un ton mielleux :

« *Attention. Ceci est le premier communiqué du nouvel ordre constitué. Nous avons pris Rome, Rome est à nous. Les tuteurs de la loi et les forces de l'ordre se sont déjà rangés de notre côté. Nous prévenons les soldats qui voudraient entrer dans la capitale : restez loin d'ici, cette ville nous appartient. Si vous franchissez les frontières sacrées, vous ne rentrerez jamais dans vos familles, vous ne reverrez pas vos enfants, femmes, maris ou fiancés, et vos parents vous pleureront... Attention, peuple de Rome : le pape s'est enfui et les catholiques n'ont plus de guide. Les murs du Vatican sont tombés, même la chapelle Sixtine a été conquise. Convertissez-vous au Seigneur des ombres, descendez dans les rues et tuez les infidèles qui oseront s'opposer à vous. Ceux qui n'obéiront pas seront considérés comme les ennemis de l'Église de l'éclipse.* »

Le préfet de police interrompit l'enregistrement.

Vitali regarda ses supérieurs dans les yeux.

— Vous vous foutez de moi, n'est-ce pas ?

— Je préférerais, répondit De Giorgi.

— Il y a vraiment des gens qui croient à ce truc ?

— En 2006, à Mumbai, en Inde, le bruit a couru que l'eau de mer était subitement devenue douce. Des milliers de personnes sont accourues sur la rive et ont bu, convaincues qu'il s'agissait d'un miracle.

— Et en fait, de quoi s'agissait-il ? demanda l'inspecteur qui ne voyait pas le rapport.

— D'une psychose collective, expliqua son chef. L'eau de mer n'avait pas changé de goût, mais les gens étaient persuadés du contraire.

— Une hallucination ?

— Appelez ça comme vous voulez. Le fait est que les paroles délirantes que vous venez d'écouter risquent de produire un effet analogue, parce qu'elles arrivent après une série d'épreuves difficiles pour la population. Ils veulent alimenter la panique, et donc le chaos.

— Les soldats ne vont pas venir ? demanda Vitali.

— Bien sûr que si. Les troupes feront bientôt leur entrée en ville, affirma le préfet de police. Mais les généraux du Comlog veulent d'abord comprendre à quoi s'attendre. Dans le fond, il s'agit de la plus grosse opération militaire sur le sol italien depuis la guerre.

— Et nous, entre-temps, que fait-on ?

— Il ne reste que vous, inspecteur, annonça le chef de la police en posant la main sur son épaule saine. Votre mission est de retourner dehors, d'identifier le lieu d'où part la transmission et de la faire cesser.

— Vous croyez vraiment que ça suffira ?

— Nous devons faire comprendre à ces fous et à tous les autres que nous sommes encore en mesure de réagir, sinon quand les secours arriveront ils ne trouveront que des corps et des ruines.

— D'accord, accepta l'inspecteur après réflexion.

— Nous vous fournirons une équipe de six hommes pour que vous puissiez évoluer en toute sécurité, l'assura De Giorgi. Nous vous mettrons à disposition des armes et des véhicules pour trouver ce maudit émetteur.

— Non, merci, répondit Vitali. J'irai seul.

13

Ils retournèrent à l'appartement relais en moto.

Il leur était impossible d'emporter la valise, aussi l'avaient-ils confiée au concierge. Ils avaient quitté l'hôtel Europa en s'agrippant à une déduction élémentaire : ce bagage représentait la preuve que, neuf ans plus tard, Tobia Frai était encore en vie. Toutefois, un élément ne cadrait pas : pourquoi la valise ne contenait-elle que quelques vêtements ? Un par année d'âge de l'enfant. Elle semblait avoir été préparée pour envoyer un message.

Plus précisément, *ce* message : « Tobia est vivant, venez le chercher. » Qui était le destinataire ? Et pourquoi ?

Peut-être le commissaire Crespi pourrait-il les aider à trouver des réponses. C'est dans l'intention de se confronter à lui qu'ils prirent la direction de la via del Governo Vecchio.

— Va voir ton ami, dit Marcus. Demande-lui s'il sait quelque chose et ne te laisse pas attendrir. J'ai l'impression que les membres de l'Église de l'éclipse n'ont pas encore décidé de tuer Tobia pour une raison précise, mais que cette nuit pourrait être le bon moment pour passer à l'acte.

— Tu ne viens pas ? demanda Sandra.

— J'ai une affaire à régler, répondit-il en lui passant l'un des deux téléphones satellites. Le premier qui a du nouveau contacte l'autre.

— D'accord.

Marcus contrôla le niveau du carburant de la Honda. Il était sur la réserve.

— Que dois-tu faire de si important ? l'interpella Sandra, qui ne supportait pas d'être laissée pour compte.

— Je dois trouver un livre, répondit le pénitencier.

Puis il s'éloigna.

En montant à l'appartement, la policière se demanda ce qu'avait voulu dire Marcus. À quel livre faisait-il allusion ? Qu'avait-il en tête ? Arrivée sur le palier, elle frappa, parce que Crespi s'était enfermé à l'intérieur. Elle n'obtint aucune réponse. Elle recommença, plus fort. Il pouvait s'être endormi, mais elle n'y croyait pas. Elle sortit son revolver et tira un coup dans la serrure.

La porte s'ouvrit.

Elle pointa sa torche. À l'intérieur, tout semblait calme. À côté de la cheminée éteinte gisait un paquet de cigarettes vide, roulé en boule.

— Crespi, tu es là ? appela-t-elle en avançant, l'arme au poing.

Elle vérifia dans la cuisine et la salle de bains, mais le commissaire n'y était pas. Pourtant, une des pièces était verrouillée. Cette fois, Sandra ne frappa pas. Elle tira un coup de feu et ouvrit la porte d'un coup de pied.

Elle fut assaillie par un nuage gris et se mit à tousser. La poussière très fine entra dans ses yeux, elle larmoya mais aperçut tout de même le corps inanimé du commissaire sur le sol. Elle couvrit sa bouche avec son sweat-shirt et entra.

L'homme était à plat ventre et tenait à la main un morceau de bougie. Sandra le retourna : il était vivant.

Elle le prit par les aisselles et le traîna dans le couloir. La poussière sombre les suivait comme un spectre curieux et pouvait encore les étouffer tous les deux. *Des cendres*, pensa-t-elle. Comment était-ce possible ? Elle tendit la main vers la bouche et le nez de Crespi, qui respirait faiblement. Il fallait lui dégager les voies respiratoires. Elle courut à la cuisine chercher de l'eau. De la boue sortait des robinets. En fouillant la cuisine en quête d'une bouteille, elle se rappela une méthode utilisée dans la Rome antique pour faire avouer les prisonniers. Ils les enfermaient dans une pièce au sol couvert de cendre et les y laissaient jusqu'à ce qu'ils parlent. La poussière était tellement légère qu'elle était facilement inhalée, puis elle se déposait rapidement dans les poumons, où elle se compactait, ne laissant aucune chance au supplicié. En réalité, même les prisonniers qui parlaient et étaient libérés finissaient par mourir quelques jours plus tard, les voies respiratoires obstruées.

Une torture, se dit Sandra. Pour Crespi, fumeur compulsif, cela avait des airs de revanche.

Mais une crainte surpassait toutes les autres. L'assassin qui tuait un à un tous les membres de l'Église de l'éclipse était arrivé jusque-là et avait laissé un piège pour le commissaire. Comment avait-il fait ?

Elle revint avec de l'eau minérale et la lui versa dans la bouche, mais il la recracha. Néanmoins, il ouvrit les yeux et la vit. La suie qui recouvrait son visage fut gommée par une larme. Crespi leva la main et, de son doigt cendré, il écrivit quelque chose sur le mur à côté de lui. Un mot.

Chantage.

Sandra s'aperçut qu'il aurait voulu parler mais n'y arrivait pas.

— Nous avons découvert que Tobia est vivant, lui murmura-t-elle, pensant que c'était de cela qu'il voulait parler.

Le commissaire acquiesça.

— Tu sais où il a passé toutes ces années ?

L'homme secoua la tête.

— Alors quoi ?

Crespi essaya de parler, mais ne parvint à émettre aucun son. Il respirait avec difficulté. Il leva à nouveau la main vers le mur et esquissa un dessin, cette fois.

C'était un étrange soleil, assez infantile, mais les rayons ne partaient pas vers l'extérieur : ils étaient à l'intérieur du cercle.

— Je ne comprends pas ! s'exclama la policière exaspérée. Qu'est-ce que c'est ?

Pour toute réponse, Crespi détourna le regard et pointa les yeux vers le ciel. Son halètement se muta en râle puis, peu à peu, son thorax cessa de se soulever. Sandra l'observa un long moment. Enfin, d'une caresse, elle lui ferma les paupières.

Chantage, puis un cercle avec des rayons à l'intérieur, résuma-t-elle intérieurement. Or elle n'avait pas le temps de penser à la signification du message. L'appartement relais n'était plus sûr. Elle devait partir. Tout de suite.

14

Le siège de la bibliothèque Angelica était situé dans l'ancien couvent des Augustins, sur la piazza Sant'Agostino. Depuis le début du XVII siècle, les frères s'étaient occupés de recueillir, de cataloguer et de préserver environ deux cent mille précieux ouvrages. Marcus se rappelait qu'elle avait été la première bibliothèque européenne ouverte à la consultation publique. Mais en arrivant à l'entrée du bâtiment, il s'arrêta net.

La boue de la crue du Tibre avait pénétré dans le vestibule, jusqu'au salon de lecture – le fameux Vaso de Vanvitelliano, du nom de l'architecte qui avait restructuré l'ensemble au XVIII siècle. Les volumes qui se trouvaient sur les étagères les plus basses étaient réduits à une bouillie de papier gris. Des centaines de textes à la valeur historique et artistique inestimable étaient irrémédiablement perdus. Les meubles s'étaient écroulés et les livres flottaient dans un cloaque d'eau stagnante.

Seule la pièce blindée qui contenait les incunables les plus précieux avait échappé au désastre.

Le pénitencier connaissait par cœur la combinaison pour y accéder. Il était souvent venu consulter des livres sur l'origine du mal, certains interdits pendant des siècles. Il fut soulagé de constater que les batteries qui régissaient le système de sécurité fonctionnaient encore.

Il entra dans la petite salle où les incunables étaient conservés dans un microclimat parfait, ni trop sec ni trop humide. Généralement les savants qui demandaient à les consulter portaient des gants blancs pour manier les pages fines, riches de miniatures, sans courir le risque de les abîmer. Mais Marcus n'en avait pas le temps. Il partit à la recherche du texte demandé par Cornelius Van Buren durant leur dernière rencontre.

Naturalis historia de Pline l'Ancien.

Il trouva le livre et l'enveloppa dans un linge en lin blanc. Il avait promis, mais il n'avait certes pas eu l'intention de remettre à ce monstre un tel don de l'humanité. Il pensait se contenter de le lui faire admirer à travers les barreaux de sa cellule avant de le remettre à sa place. Pourtant, durant les dernières heures, tout avait changé. Si sacrifier un livre permettait de sauver Rome et, surtout, la vie d'un enfant, alors il pouvait l'accepter.

Il plaça son délicat paquet sur le réservoir de la moto, entre lui et le guidon. Puis il repartit. Jusque-là, il était toujours entré au Vatican avec l'aide d'Erriaga. Cette fois, cela s'annonçait plus difficile, avec la gendarmerie et les gardes suisses qui bloquaient tous les accès pour empêcher les étrangers de pénétrer dans le minuscule État.

Mais Marcus connaissait un autre moyen.

Le Passetto di Borgo était un parcours sur les murs léonins qui reliait le palais du Vatican au château

Saint-Ange. Dans la pratique, il s'agissait d'un petit viaduc qui dans le passé permettait au pontife d'atteindre la forteresse en cas de danger. Le pénitencier le parcourut en sens inverse et se retrouva à l'intérieur des jardins. Il traversa le bois sauvage et frappa à la porte du couvent de clôture des Veuves du Christ.

La sœur qui vint lui ouvrir l'accompagna en silence jusqu'à l'hôte secret de la maison, comme toujours. Marcus remarqua que ce n'était pas la même que la dernière fois. Malgré sa longue tunique et le tissu noir qui lui couvrait le visage, ses chaussures étaient différentes. Ce n'étaient pas des bottines nouées jusqu'aux mollets, mais des pantoufles noires.

Quand Marcus passa la tête entre les barreaux, Cornelius était allongé sur son lit de camp, dans l'obscurité.

— Ne t'en fais pas, je suis réveillé, dit le prisonnier. Avec l'âge, je dors de moins en moins et les journées deviennent insupportablement longues. Ça me fait plaisir que tu viennes m'offrir une distraction.

Marcus glissa un bras entre les barreaux et lui tendit l'incunable.

— J'ai tenu ma promesse.

Van Buren se leva, les yeux brillants de stupeur, et saisit le livre.

— Je n'en reviens pas.

Il retourna à sa place et le posa sur ses genoux. Il le sortit du linge en lin blanc et l'observa, absorbé.

— Quelle magnificence, quel miracle !

Il souleva la couverture en cuir cousue à la main et il feuilleta les rares miniatures, les effleurant à peine de la paume de sa main.

Marcus aperçut les dessins et les broderies dorées qui ornaient les pages, mais il était là pour d'autres raisons.

— Ton bonheur est un baume pour mon cœur, ironisa-t-il. Cela dit, je suis venu percevoir mon dû.

Van Buren leva les yeux du livre.

— Raconte-moi ce que tu sais de nouveau et je t'aiderai.

Le pénitencier résuma les événements des dernières heures. Il décida de ne rien négliger, la prudence aurait constitué un luxe trop risqué, étant donné le danger que couraient Rome et Tobia.

— Ainsi l'enfant est toujours vivant, neuf ans plus tard, prit acte Van Buren, comme si le cœur d'un tueur en série pouvait réellement apprécier cette nouvelle.

— Mais je crains qu'il ne lui reste que quelques heures, admit Marcus. Je pense qu'ils veulent le tuer cette nuit.

— Qu'est-ce qui te fait croire ça ?

— Je ne sais pas, mais il est probable que l'Église de l'éclipse veuille sanctifier ce jour de destruction avec le sacrifice d'une victime innocente.

Cornelius réfléchit.

— Le fils d'une sœur est un symbole très puissant, convint-il.

— C'est pour cette raison que je dois arrêter le Maître des ombres. Mais, pour arriver à lui, je dois d'abord trouver l'Alchimiste.

— Il faudrait connaître les dynamiques et les rituels de l'Église de l'éclipse, pour comprendre le rôle de ce personnage. Tu ne penses pas ?

— Crespi, le commissaire membre de la secte, a parlé d'une sorte de rite à travers lequel les adeptes sont instruits. Il a expliqué que les membres portent des tuniques noires et des masques.

Cornelius posa l'incunable à côté de lui, sur le lit, puis il lissa sa barbe blanche.

— Des masques et un alchimiste, répéta-t-il. Nikolay et Penka Šišman.

— L'Alchimiste, ce sont deux personnes ?

— Attends, s'il te plaît. Je suis encore en train d'y réfléchir, mais c'est la seule histoire qui me vient à l'esprit.

— Raconte-la-moi.

— Les Šišman étaient une famille de princes bulgares qui se sont réfugiés à Rome il y a des siècles pour échapper à la persécution des chrétiens par les Turcs ottomans. Ils faisaient partie de la cour pontificale restée fidèle au pape après 1870, date à laquelle celui-ci avait été privé de ses pouvoirs temporels. Mais en 1968, Paul VI décréta la fin de la cour et de l'aristocratie vaticane, jugeant que ce n'était qu'un héritage clinquant du passé. Les princes Šišman, qui avaient payé de l'exil leur fidélité à l'Église de Rome, se sentirent offensés et humiliés : avec d'autres nobles, ils continuèrent à faire partie de ce qu'on appelait la Noblesse noire. Les membres de ce petit groupe au sang bleu s'attribuèrent la mission de rétablir les traditions séculaires et, avec elles, leurs propres privilèges.

— Quel rapport avec les deux Šišman que tu as nommés ?

— Nikolay épousa Penka malgré l'opposition de sa famille. Elle, une simple enseignante, prit le nom de la lignée Šišman… Penka était une femme pleine de vitalité, elle donnait de célèbres fêtes masquées dans un palais historique de Rome. Nikolay, lui, était un type taciturne qui se consacrait à l'étude des sciences. Il avait défié ses parents en passant une maîtrise de chimie.

Marcus eut un déclic.

— Les masques de Penka, et l'Alchimiste est un chimiste.

— Il y a une autre partie de l'histoire que tu dois connaître, qui remonte plus ou moins aux années soixante-dix, dit Van Buren en baissant les yeux. Quand elle était encore très jeune, Penka Šišman tomba gravement malade. Son mari la conduisit chez les plus grands experts pour la faire guérir. Quand les médecins s'avouèrent vaincus, Nikolay se mit en tête de soigner lui-même la maladie de sa femme. Il fit le tour du monde à la recherche d'une substance miraculeuse et il expérimenta sur la pauvrette toute une série de potions, certaines de son invention. Il ne voulait pas se rendre à l'évidence. Mais ensuite, un jour de septembre, Penka mourut. Les parents de Nikolay lui dirent que Dieu avait rétabli la justice des choses.

— Que se passa-t-il ?

— Nikolay renia sa foi. Il continua à organiser des fêtes masquées, mais dans un autre but : désormais, il demandait à ses invités de se livrer à des rituels de magie, des séances de spiritisme. Son obsession était de se mettre en contact avec son épouse défunte, qu'il avait tant aimée.

— Quel rapport peut-il y avoir entre cette histoire et l'Église de l'éclipse ? demanda Marcus.

Cornelius le regarda.

— Que serais-tu disposé à faire par amour ? demanda-t-il, volontairement provocateur.

Le pénitencier, pris au dépourvu, ne répondit pas.

— Serais-tu disposé à vendre ton âme au Seigneur des ombres, reprit Cornelius en riant, pauvre prêtre qui vit dans la tentation?

Marcus eut envie d'entrer dans la cellule et de le frapper.

— Ne m'en veux pas si je me moque un peu de toi, dit le vieil homme avant de reprendre son sérieux. Tu as prononcé une phrase, tout à l'heure, sans te rendre compte de la signification de tes propres mots... En mentionnant les rencontres des adeptes de l'Église de l'éclipse décrites par le commissaire de police, tu m'as révélé que les participants portent des masques et des tuniques noires. C'est bien ça?

— Oui.

— Réfléchis : il existe tout de même un moyen de reconnaître quelqu'un qui est recouvert de la tête aux pieds.

Marcus eut un choc. Il repensa aux Veuves du Christ qui l'escortaient chaque fois jusqu'au prisonnier. Il avait appris à les distinguer grâce à leurs chaussures.

Cornelius était satisfait que son élève y soit arrivé seul.

— On ne risque pas d'être reconnu si tout le monde porte les mêmes chaussures.

Des chaussures de toile blanche, se dit le pénitencier. Voilà pourquoi Crespi était troublé après avoir remarqué les siennes. L'évêque Gorda en avait une paire identique. Alors il n'y avait qu'une explication.

— L'enquête dont je ne me souviens aucunement... J'étais très proche de découvrir la vérité. Voilà pourquoi il y avait ces maudites chaussures à côté de mes vêtements quand je me suis réveillé au Tullianum.

Que s'était-il passé avant cela? Peut-être avait-il déjà résolu le mystère. Quoi qu'il en soit, il avait oublié.

— Tu devrais apprendre à mieux dissimuler ta colère, affirma l'autre en le voyant dans cet état.

Mais Marcus n'avait plus envie d'écouter les leçons du vieux prêtre.

— Si Nikolay Šišman est l'Alchimiste, où puis-je le trouver?

Van Buren caressa l'incunable *Naturalis historia*.

— Là où il vit enfermé depuis le jour où sa femme est morte.

15

Sandra errait sans but dans corso Vittorio Emanuele II. Autour d'elle, désolation et décombres. La puanteur de boue du Tibre lui donnait la nausée.

Elle n'avait pas le courage d'allumer sa torche de peur que la personne qui avait tué Crespi la repère. L'idée de la mort lui faisait moins peur que celle d'une longue et insupportable torture. Elle essaya d'appeler Marcus depuis son téléphone satellite. Elle aurait voulu le mettre au courant de ce qui était arrivé au commissaire, lui dire qu'elle avait dû s'enfuir de l'appartement relais. Mais le maudit appareil ne captait pas la ligne. *Où te trouves-tu ? Dans quel endroit es-tu, si même un satellite ne te trouve pas ?* Elle craignait que la batterie de l'appareil, déjà en bout de course, la lâche complètement.

Je réessayerai plus tard, se dit-elle.

Elle devait s'éloigner de la rue. Elle chercha refuge à l'intérieur de Santa Maria in Vallicella, plus connue sous le nom d'Église-Nouvelle. Le lieu de prière était désert. La policière parcourut la nef centrale jusqu'à l'autel. Elle alluma une bougie votive au-dessus de la chaire, la prit et déambula entre les chapelles. Le nombre de trésors qui se cachaient dans le moindre recoin de Rome était incroyable. Quelque part dans l'obscurité qui l'entourait se trouvaient des peintures de Rubens et le plafond était orné des fresques de Pietro da Cortona. Sandra s'arrêta devant un panneau d'information pour les touristes. Elle découvrit ainsi que ce lieu hébergeait également quelque chose d'inquiétant. L'église était bâtie tout au bord de ce qui avait autrefois été le Champ-de-Mars. Exactement sur une cavité d'où, dans un passé lointain, montaient des vapeurs sulfuriques, sans doute des résidus d'une modeste activité volcanique. La zone était donc considérée par les habitants de la Rome antique comme une porte des enfers. La policière frissonna en lisant la pancarte. Elle poursuivit sa promenade sous le regard bienveillant des statues des saints et tenta de se concentrer sur ce que lui avait révélé Crespi avant de mourir.

Un chantage.

Marcus et elle s'étaient demandé pourquoi la valise de l'hôtel Europa ne contenait que dix vêtements de Tobia Frai, qui correspondaient à chaque âge depuis le jour de son enlèvement, jusqu'à douze ans. Ce bagage constituait un message. L'Église de l'éclipse voulait faire savoir à quelqu'un que l'enfant était en vie.

Mais à qui?

Certainement pas à sa mère. Matilde Frai était pauvre. Elle avait une maîtrise en lettres classiques et philologie, mais elle survivait en faisant des ménages. En outre, c'était une paria. Pendant neuf ans, elle avait supporté le poids d'une calomnie atroce : on l'avait accusée d'être responsable de la disparition de son fils. Elle était une sœur qui avait renié ses vœux, et aussi une fille mère. Durant leur rencontre, elle avait vaguement parlé d'abus.

« Je me rappelle être allée à une fête. Je n'étais plus dans mon état normal. Un mois plus tard, j'ai découvert que j'étais enceinte. Vous imaginez le choc ? Je venais d'avoir vingt-trois ans, je ne connaissais rien à la vie, je n'avais aucune idée de comment élever un enfant. Jusque-là, j'avais vécu hors du monde. »

Il s'était probablement agi d'une agression sexuelle et la femme était restée évasive sur le sujet parce que, bien qu'elle soit la victime, elle en avait honte. Probablement à cause de son éducation catholique rigide ou du lavage de cerveau qu'elle avait subi au couvent, se disait Sandra.

Tout cela excluait qu'on fasse chanter Matilde.

N'ayant aucun élément pour résoudre la première énigme, la policière se concentra sur la deuxième. L'étrange soleil dessiné par Crespi, avec les rayons qui convergeaient vers le centre du cercle. Quelle idiote ! Ce n'était pas un soleil : le culte de la secte était centré sur l'éclipse de lune.

— Une lune avec les rayons à l'intérieur, dit-elle à voix basse.

L'image lui était étrangement familière. Où l'avait-elle vue ? Elle était certaine d'avoir la solution à portée de la main. Elle savait qu'elle savait. Elle ferma les yeux en espérant avoir une vision.

Une grande roue.

L'image lui apparut clairement : un parc d'attractions. Avec son dessin, Crespi avait voulu lui indiquer un lieu, plus précisément un parc d'attractions. Qu'allait-il s'y passer ? Elle devait y aller.

Elle ne pouvait pas se tromper. La fête foraine de Rome se trouvait dans le quartier de l'Eur.

Elle sortit de l'église et observa la rue. Elle devait trouver le moyen de rejoindre la partie sud de la ville. Il fallait pour cela faire un trajet de dix kilomètres sans moyen de transport. Normalement, cela aurait pris une heure trois quarts. La moitié en courant. Toutefois, l'obscurité et les dangers qu'elle pouvait rencontrer le long du chemin appelaient à la prudence.

Pas moins de trois heures, calcula-t-elle. Or elle n'avait pas le temps.

Elle essaya à nouveau de téléphoner à Marcus. Si elle arrivait à le prévenir, ils iraient ensemble à moto. Malheureusement, le pénitencier n'était pas joignable.

Un bruit étrange, semblable à un battement d'ailes gigantesque, la contraignit à lever les yeux au ciel. Il approchait, de plus en plus fort. La fin du mauvais temps permettait aux secours de se mettre en vol. Ils passaient au crible la zone du désastre avec de puissants projecteurs.

Pourquoi ne descendent-ils pas voir ce qui se passe ? C'est absurde, se dit-elle.

Néanmoins, les hélicoptères lui avaient indiqué le chemin. Elle avança vers les berges du Tibre et sortit de la zone recouverte par la boue de la crue. Sous ses pieds, le sol était à nouveau solide. Elle repéra un véhicule utilitaire au milieu de la chaussée, les portières grandes ouvertes. Elle imagina qu'il avait été abandonné par ses occupants par peur de l'inondation. Elle s'assit à la place du conducteur. Par chance, les passagers, dans leur hâte, avaient laissé la clé sur le contact. Elle pria pour qu'ils aient eu la vie sauve, puis démarra.

Il lui fallait rouler tous feux éteints, elle n'avait pas le choix.

Elle franchit le pont Cavour et longea le château Saint-Ange. Elle passa devant la via della Conciliazione et aperçut l'ombre de la basilique Saint-Pierre qui se détachait dans la nuit. Peu après, elle tourna à droite et se retrouva devant l'entrée du tunnel Principe Amedeo. Elle freina brusquement. Les mains crispées sur le volant, moteur allumé ; elle observa l'énorme trou noir devant elle. N'importe quoi aurait pu se cacher là-dedans.

Sandra posa son arme sur ses genoux, puis alluma les feux de route, appuya à fond sur l'accélérateur et le véhicule repartit à toute allure vers l'entrée. Il y avait d'autres voitures dans le tunnel. Elle comprit qu'elles y avaient été disposées pour ralentir la circulation. C'était un piège. Mais désormais, elle ne pouvait plus revenir en arrière. Elle essaya de garder le contrôle sur tout ce qui l'entourait. De temps à autre elle tressaillait, pensant avoir remarqué quelque chose. Elle était convaincue que, d'un moment à l'autre, quelqu'un allait lui tendre une embuscade. Mais ses ennemis n'étaient pas réels, ils étaient faits d'ombre et ils existaient uniquement dans sa tête. *Je suis stupide*, se dit-elle quand elle aperçut la sortie. Peu après, elle était de nouveau à l'air libre.

Elle éteignit les phares et parcourut une très longue portion de la via di Porta Cavalleggeri. Puis elle poursuivit via Gregorio VII et via Newton – sans encombre. Combien de fois, un jour normal, s'était-elle retrouvée prise dans un embouteillage ici même? C'était la routine des Romains. Sandra avait toujours comparé le trafic à celui de Milan, moins chaotique et plus supportable. Mais cette fois, en traversant les quartiers résidentiels sans lumière, elle regretta les bouchons et le bruit des klaxons. Elle se demanda si la vie redeviendrait comme avant.

Elle prit le viaduc de la Magliana et passa au-dessus de la route Cristoforo Colombo – une longue bande d'asphalte totalement vide. Puis elle arrêta son véhicule à une centaine de mètres de la via delle Tre Fontane. Elle fit demi-tour et se gara au milieu de la rue, de façon à faciliter une fuite éventuelle. De là, elle poursuivit à pied.

Quelques dizaines de mètres plus loin, elle la reconnut. La grande roue, symbole de la fête foraine, était une pupille éteinte – exactement comme les yeux de ses ennemis. Elle se hissa sur le mur d'enceinte et sauta de l'autre côté. Elle atterrit les deux pieds sur un parterre de fleurs. Autour d'elle, c'était la désolation absolue. Elle avança sans savoir exactement quoi chercher. Crespi n'avait pas eu le temps de le lui dire, mais elle était convaincue qu'elle le comprendrait d'elle-même.

Elle passa sous un arc surmonté d'un grand éléphant souriant et, après un kiosque à pop-corn, elle se retrouva sur l'allée principale. Le black-out avait emporté les rires des enfants et la joie électrique des lumières colorées. Le tir à la carabine, la machine à barbe à papa, le magasin de souvenirs : tout était fermé. La chenille des montagnes russes, le manège à chevaux de bois, les autotamponneuses, la grande pieuvre violette qui tournait sur elle-même étaient immobiles. Pourtant, ce calme ne semblait qu'apparent. Sandra avait la sensation que, d'un moment à l'autre, les attractions allaient reprendre vie. Mais sans la musique et les ampoules multicolores, ce n'étaient que des monstres mécaniques faits d'obscurité.

Elle se retrouva devant la maison hantée, qui était la moins lugubre de ce cimetière de divertissement. Un bruit soudain – des pas ? – la mit en alerte. Elle se jeta à quatre pattes derrière la chouette qui veillait sur l'entrée. Juste à temps : derrière elle apparurent deux individus, qui avançaient dans la même direction. Sandra ne sortit pas son revolver, elle essaya de rester immobile et retint sa respiration. Ils passèrent à moins d'un mètre d'elle et poursuivirent sans remarquer sa présence. Elle laissa s'écouler encore quelques secondes avant de trouver le courage de se pencher vers l'allée. C'est alors qu'elle découvrit ce qui se passait juste au pied de la grande roue.

Une longue file de *dormants* – ainsi les avait-elle rebaptisés. Ils étaient des dizaines et des dizaines.

Ils semblaient attendre de faire un tour dans le ciel obscur. Personne ne parlait, on ne lisait aucune joie sur leurs visages. Ils respectaient scrupuleusement la queue. Trois ou quatre hommes et deux femmes les attendaient, une coupe dans les mains. Les dormants s'approchaient et ouvraient la bouche. On leur déposait quelque chose sur la langue. Puis ils quittaient la file et s'éloignaient.

Sandra pensa immédiatement au rite chrétien de l'eucharistie. L'hostie noire, se dit-elle.

« Le Seigneur des ombres, lui, nous a rendu la connaissance, avait affirmé Crespi. Quand on goûte sa communion, on reçoit en échange le don du savoir. » Sandra ne s'était pas laissé impressionner par les paroles du vieux commissaire. Mais, devant cette scène irréelle, elle se demandait si tout était vrai.

Pourquoi Crespi m'a-t-il envoyée ici ? Il n'y avait pas de raison spécifique, elle ne savait même pas exactement ce qu'elle regardait. Si seulement Marcus avait été là ! Elle aurait pu en parler avec lui.

Il fallait qu'elle parte d'ici. Elle en avait vu assez et cela pouvait s'avérer dangereux. Pour retourner à la voiture, elle devait parcourir le même trajet en sens inverse. Elle marcha vite, mais arrivée près du palais aux miroirs déformants, elle aperçut le reflet de quelques dormants qui venaient vers elle. Elle changea de direction avant qu'ils la remarquent et grimpa une petite colline, d'où elle distinguait nettement l'entrée Est du parc. Les dormants arrivaient de là.

À pied ou en groupe : la grande roue, tel un phare noir, leur indiquait la direction à suivre.

Sandra se tourna pour continuer, mais en découvrit un devant elle.

Il avait vingt-cinq ans au plus. Il portait une parka violette et en dessous un débardeur gris crasseux, un pantalon foncé et des rangers. Il avait les cheveux longs et gras. Lui aussi sembla étonné de la voir.

Après un long moment, il porta la main à sa braguette.

— On baise ? demanda-t-il presque avec gentillesse.

Ses yeux n'étaient pas encore vides, mais le deviendraient bientôt, pensa Sandra qui avait déjà remarqué la transformation. Elle aurait pu feindre qu'ils étaient du même bord, mais il aurait perçu sa peur – elle était certaine qu'il en avait la capacité. Elle sortit son revolver de son survêtement et le pointa sur lui. Le type sourit.

— Si tu tires, on va t'entendre, dit-il en indiquant la grande roue. On baise ? répéta-t-il en faisant un pas vers elle.

Sandra le poussa et le fit tomber. Puis elle tourna les talons et se désintéressa de lui. Peu lui importait d'avoir réussi à le dissuader, elle pensa seulement à courir le plus vite possible.

Son cœur battait fort, elle haletait. Elle était en hyperventilation à cause de la panique. L'excès d'oxygène était un problème, elle allait mettre ses poumons à rude épreuve et accélérer son rythme cardiaque, ce qui la fatiguerait. *Je n'arriverai jamais à la voiture*, se dit-elle. Mais elle ne pouvait changer le cours des choses, elle ne contrôlait plus son propre organisme. Désormais, son corps appartenait à la peur.

Elle entendit des pas derrière elle, de plus en plus rapides. Elle se retourna un bref instant, juste assez pour apercevoir la silhouette de l'homme à la parka violette qui la suivait. Ses longs cheveux formaient une sorte de crinière autour de son visage sombre.

Il est rapide. Il n'a pas peur, lui.

Elle aperçut le mur qu'elle avait escaladé pour entrer. Cela signifiait qu'elle était proche du but, mais cela représentait aussi un obstacle. Il faudrait se hisser et l'homme risquait de la tirer vers le bas.

Je pourrais me retourner et tirer. Ensuite, j'aurais tout le temps d'arriver à la voiture avant que les autres me repèrent. C'était une bonne idée. Elle empoigna la crosse de son arme des deux mains, pivota sur elle-même, visa et tira.

Mais l'homme avait disparu.

Le coup de feu résonna dans le silence du parc d'attractions. *Merde*, se dit Sandra. Et elle se remit à courir. S'était-il caché ? Essayait-il de la prendre par surprise ? Et, surtout, quand allaient arriver les autres ?

Une fois au pied du mur, elle regarda autour d'elle. Elle dut remettre le revolver dans son survêtement. Elle grimpa sur le mur en briques, avec des mouvements frénétiques. Aucune main ne sortit de l'ombre pour lui saisir la cheville, elle ne se sentit pas tirée vers le bas. Elle parvint à se hisser et à sauter de l'autre côté. La route était vide et, à quelques dizaines de mètres, l'utilitaire l'attendait, prêt à l'emmener loin de là. Un dernier effort, se dit-elle en reprenant sa course.

Elle entendit d'abord le déplacement d'air – comme le passage d'un oiseau. Puis elle sentit l'impact sur la droite de sa tête. Aucune douleur, juste un étourdissement soudain. Elle n'eut pas le temps de tendre les doigts pour atténuer la chute, elle sentit le gravillon se loger dans la peau de son visage – le baiser douloureux de l'asphalte sur sa joue. Elle ne pouvait pas bouger, tellement sa tête tournait. Le caillou qui l'avait atteinte, gros comme un poing, gisait à côté d'elle. Elle n'avait plus son arme – et ignorait où elle était passée. Lentement, elle se mit sur le dos et le vit.

L'homme à la parka violette se tenait debout sur le mur, le bras levé en signe de victoire.

— Oui ! cria-t-il, triomphant.

Il était heureux.

Sandra essaya de se lever, mais retomba sur ses coudes. Au bout de la route, un groupe de gens apparut. Ils se dirigèrent lentement vers elle, curieux.

Sandra tenta de ramper vers l'arrière. *J'aurais dû lui tirer dessus tout de suite*, regretta-t-elle. *Pourquoi ai-je hésité sur cette maudite colline ?* L'utilitaire était à quelques mètres, mais elle désespérait de le rejoindre. Dommage, elle était si proche. Le salaud sur le mur criait toujours, le groupe avançait. Sandra Vega comprit qu'il ne lui restait que peu de temps. Pendant qu'elle se traînait, sa main effleura la crosse du revolver. Elle la saisit, il était lourd mais elle arriva à le soulever. Elle tira sur le salaud, sans aucun espoir de l'atteindre. À sa grande surprise, elle visa juste. Elle le vit disparaître vers l'arrière, comme une cible du stand de tir à la carabine. *Après tout, nous sommes à la fête foraine*, se dit-elle. Elle aurait bien ri de sa blague, mais elle n'était pas certaine qu'elle soit amusante. Le coup de feu n'avait pas troublé les dormants le moins du monde.

Ils n'ont pas peur de mourir.

Elle tira au hasard dans leur direction. Les balles furent perdues. Pendant un instant, elle parvint à les disperser. Mais quand ils comprirent qu'elle avait épuisé ses projectiles, ils se regroupèrent à nouveau.

Elle aurait voulu que Marcus vienne la sauver, comme tant d'autres fois par le passé. Il veillait toujours sur elle, en cachette. Elle ne pouvait en avoir la certitude, mais durant les dernières années, elle s'était sentie en sécurité.

Où es-tu, maintenant ?

Elle comprit que cette fois elle ne pourrait compter que sur elle-même. Toutefois, elle ne devait pas le faire pour lui : elle devait le faire pour eux deux.

Elle cessa de ramper vers l'arrière comme une idiote et, prenant appui sur ses bras, elle se mit à genoux. Elle inspira, expira. Elle remarqua que le groupe s'était arrêté. Elle savait ce que cela signifiait : ils se préparaient à attaquer l'intruse. En effet, ils bougèrent tous ensemble. Elle se releva, chancela mais garda l'équilibre. Elle courut en direction de la voiture. Elle fouilla dans sa poche à la recherche de la clé – pourquoi diable l'avait-elle fermée ? Elle la trouva, appuya sur le bouton de l'ouverture automatique : les petits feux clignotèrent et elle fut saluée par un joyeux avertisseur sonore. Une pluie d'objets s'abattit sur elle. Si quelque chose l'atteignait, ce serait la fin. Mais pour le moment elle n'avait pas le temps d'y penser.

Elle courait. Elle courait, c'est tout.

Arrivée près de la voiture, elle ouvrit la portière et se jeta dans l'habitacle. Elle démarra et referma la porte. Elle les entendit arriver, s'amasser à l'arrière, frapper les vitres et le toit. Ils l'avaient entourée. Elle voyait leurs visages écrasés contre les vitres – des yeux vides qui la cherchaient. Elle passa la première et appuya sur l'accélérateur. Elle entendit leurs mains transpirantes glisser contre la carrosserie tandis que la voiture démarrait – un grincement strident. Encore des coups, encore des pierres. Puis uniquement le bruit du moteur. Elle ne regarda même pas dans le rétroviseur.

Va te faire voir, Crespi. Son périple avait été totalement inutile.

16

5 heures et 3 minutes avant l'aube

La demeure des Šišman était située via della Gatta, à quelques pas de la via del Corso et de la galleria Doria Pamphili, en plein centre historique. Leur palais était l'un des plus beaux et mystérieux de la noblesse romaine.

La rue tenait son nom d'une chatte (*gatta*) de marbre, retrouvée dans les ruines d'un temple dédié à Isis puis placée sur un bâtiment datant du XVIᵉ siècle. Elle avait inspiré deux légendes. La première voulait que le félin regarde vers l'endroit où était caché un trésor, que personne n'avait jamais trouvé. La seconde était l'histoire d'un enfant en équilibre sur la corniche. On racontait que la chatte avait attiré l'attention de la mère avec son miaulement, empêchant ainsi que le petit tombe dans le vide.

Marcus pensa à Tobia Frai : arriverait-il à éviter qu'il soit précipité dans le gouffre de l'Église de l'éclipse ?

Il entra dans le palais en forçant la grille de la vieille charbonnière et se retrouva dans ce qui avait autrefois été la cuisine. Il monta un étroit escalier en colimaçon. Au premier étage il n'y avait que des chambres de service, aussi il poursuivit vers le deuxième, qu'on appelait l'étage noble. Il déboucha par une porte cachée dans un mur orné de fresques, généralement utilisée par les domestiques.

La maison était sombre et silencieuse.

Marcus était certain que Nikolay Šišman – l'Alchimiste – se cachait là, quelque part. Il sentait sa présence, comme un mauvais présage. Pour cette raison, avant de commencer ses recherches, le pénitencier s'agenouilla et ferma les yeux. Après s'être signé, il pria à voix basse : « Dieu, accorde-moi le pouvoir de détecter les signes du mal pour le chasser de ce monde. Fais que mon regard ne soit pas contaminé, que mon ouïe soit intègre, mes gestes non corrompus. Surtout, fais que mon esprit soit pur dans la recherche de la vérité. Concède-moi la force de *voir*, ainsi Ton humble serviteur pourra accomplir son devoir en Ton nom. Et protège-moi de l'obscure menace du péché. Amen. »

Marcus rouvrit les yeux.

Comme toujours, sa première sensation fut que le monde autour de lui avait changé. L'espace vide avait pris une consistance différente, une sorte d'épaisseur. C'était comme évoluer dans un liquide. Le temps avait commencé à se dilater, à ralentir. Une nouvelle dimension s'était ajoutée, plus dangereuse.

Le devoir du pénitencier était de sonder cet abysse.

Il sentit une odeur d'encens et de bougies éteintes. Il la suivit, traversant les pièces du palais, des salons qui se succédaient et semblaient ne jamais finir. Meubles anciens, soie chinoise, velours, tapisseries et peintures enfermées dans de luxueux cadres baroques. Marcus sentait le travail des vers qui dévoraient de l'intérieur les bois et les précieuses tapisseries. Malgré les apparences, tout risquait de s'écrouler d'un moment à l'autre, comme les coulisses d'une mise en scène grotesque.

Il entra dans une grande chambre à coucher meublée d'un lit à baldaquin. Dans un coin avait été installé un laboratoire de chimie qui était maintenant recouvert d'une toile plastifiée. Le pénitencier la souleva. Il reconnut un mélangeur, un chromatographe, un distillateur. À côté de la balance de précision se trouvait même une colonne de Vigreux. Des entonnoirs, des pipettes et des lames, un microscope. Tout le nécessaire pour l'illusion de la guérison, se dit-il en repensant à la tentative désespérée de Šišman de soigner sa femme.

Sur une étagère était posée une fiole en verre rose et transparent. On aurait dit un parfum de femme, mais sur l'étiquette il était écrit : *Chlorhydrate de fénétylline*. Marcus la reposa quand il aperçut une petite porte de l'autre côté.

Le pénitencier s'y dirigea et posa une main sur le battant, poussant doucement. Elle donnait sur une petite pièce meublée d'un lit à une place et d'une armoire laquée blanche. Les murs étaient tapissés de papier bleu ciel. À côté de la fenêtre, une petite table où étaient posés des livres et un boulier. Il y avait également un cheval à bascule et un petit train en bois avec des rails. Sur une étagère étaient alignés des soldats de plomb, sur une autre des petites voitures en fer-blanc.

Marcus vit également un ours en peluche et un clown doté d'un mécanisme : quand on le remontait, il jouait du tambour.

Il pensa à la collection du Fabricant de jouets. Cornelius n'avait pas précisé si les Šišman avaient des enfants, mais ces objets provenaient vraisemblablement de l'enfance de Nikolay. Quand il tourna les talons pour sortir, son regard se posa sur le chambranle de la porte.

Voilà l'anomalie.

Il y avait des encoches. À côté de chacune, une taille. Exactement comme celles de la cuisine de Matilde Frai qui s'étaient arrêtées neuf ans auparavant – tristes témoignages d'une habitude interrompue par la disparition de l'enfant. En revanche, celles que Marcus avait devant lui commençaient au 23 mai et se poursuivaient jusqu'à quelques jours plus tôt.

Tobia est ici. Ceci est sa chambre.

Il imagina un petit garçon emprisonné dans le passé. Contraint de vivre en captivité dans une maison énorme avec un homme rendu fou par la douleur. Un enfant mélancolique qui, par les grandes fenêtres, regardait le monde évoluer, mais que personne ne pouvait voir.

Marcus ressentit une immense peine pour lui. Il poursuivit son exploration au troisième étage.

Cette fois, il emprunta l'escalier principal. La première pièce était un vestibule aux murs gris foncé, servant de dressing. Dans une armoire murale étaient rangées des tuniques noires. Un peu plus loin se trouvait un grand meuble à chaussures, vide.

Le pénitencier enregistrait tout mentalement, notait chaque détail. Aussi, quand il franchit le seuil de la deuxième pièce, il resta pantois. Rien n'aurait pu le préparer à la vision qui s'offrait à lui. La scène, à la limite de l'irréel, était un cauchemar éveillé.

Dans la pénombre, des silhouettes l'attendaient.

Disposées sur plusieurs rangées, elles formaient un demi-cercle autour de lui. Sur leurs têtes se dressaient des formes étranges – certaines étaient des géométries singulières, d'autres ressemblaient à des cornes ou à des panaches.

Les silhouettes étaient immobiles et le regardaient.

Marcus sentit son sang se glacer, toutefois il avança vers elles. Ce n'étaient pas des personnes, mais des torses humains. Enfoncés sur des piquets qui reposaient sur une base.

Des mannequins.

Sur leur tête étaient posés des masques de la Renaissance d'incroyable facture.

Le pénitencier déambula dans ce lugubre bal masqué.

Les masques étaient faits de carton-pâte, mais aussi de céramique ou de bois. Piqués de dentelle. Certains étaient enrichis de lapis-lazuli et de petites pierres colorées. D'autres étaient ornés de plumes de paon ou d'oiseaux exotiques. Nez allongés et aquilins, ou bien délicats. Yeux grands ou félins, sans orbite. Certains se terminaient par une grande corolle, d'autres par un pompeux couvre-chef.

Le pénitencier quitta la pièce des masques et entra dans la grande salle des fêtes. Le mobilier était constitué de trois candélabres en cristal qui surplombaient la piste de bal.

Un corps était suspendu à l'un d'eux.

Il s'agissait d'un homme d'une soixantaine d'années, pendu par un pied, la tête en bas. La corde accrochée à sa cheville droite le faisait lentement tourner sur lui-même – il achevait un tour puis changeait de sens. Au-dessous de lui, une étendue de chaussures en toile blanche. Le cadavre, lui, en portait des noires.

Marcus les reconnut : c'étaient les siennes.

L'ironie de l'assassin n'échappa pas au pénitencier. *Voilà où elles sont passées.* Et voilà aussi pourquoi, ce matin à l'aube, il avait trouvé des chaussures de toile à côté de ses vêtements, au Tullianum.

Toutefois, il dut constater que la torture infligée à Nikolay l'Alchimiste était pire que d'être enfermé nu et menotté, condamné à mourir de faim. Ce qu'il avait devant lui était sans doute le supplice le plus simple mais le plus terrible qu'on puisse imaginer. Le sang qui, grâce à un ingénieux mécanisme biologique, remontait généralement dans le corps, trompant la gravité, après deux heures dans cette position confluait massivement dans le cerveau, provoquant d'abord une étrange euphorie puis des migraines, avec des élancements intenses et des éclairs aveuglants de lumière. Après quatre à six heures, selon la résistance du condamné, les muscles des jambes se déchiraient et les os se décrochaient, incapables de supporter aussi longtemps le poids du corps dans une position aussi peu naturelle. La souffrance était incessante. La troisième phase, la plus terrible, commençait après environ douze heures, quand les organes internes étaient contraints d'abandonner leur position et s'amassaient au fond de la cage thoracique, sous le sternum. Ils poussaient les uns contre les autres comme une foule désespérée qui cherche à sortir d'un tunnel. Néanmoins, la mort n'advenait que quand le cœur, épuisé, explosait soudainement.

Marcus aurait voulu hurler sa rage. Il avait trouvé l'Alchimiste et le lieu de détention de Tobia, mais l'enfant n'y était pas.

L'assassin l'avait-il emmené? Ou alors était-il entre les mains du Maître des ombres, le chef de l'Église de l'éclipse? Le pénitencier n'avait aucun élément pour résoudre l'énigme. Et s'il s'agissait de la même personne?

Non, se dit-il. Il y avait encore quelque chose qu'il n'arrivait pas à comprendre.

N'ayant aucune raison de rester dans le noir, il alluma sa torche et la pointa sur Nikolay Šišman, parce qu'il voulait voir son visage. Le pendu le regardait, les yeux écarquillés, la langue sortant de sa bouche ouverte en une grimace insolente. Sur le mur derrière le cadavre, Marcus remarqua des photos encadrées. Il s'approcha et les passa en revue.

C'étaient des clichés en noir et blanc de bals masqués d'antan. Les hôtes, en smoking et robe du soir, portaient des masques de la Renaissance, donnant vie à un agréable mélange d'époques et de styles. Ils dansaient dans la salle de bal. Marcus eut l'impression d'entendre l'écho du jazz doux et rythmé de l'orchestre. Certains invités fumaient aux tables, d'autres buvaient du champagne servi par des maîtres d'hôtel en livrée. Leur joie était palpable. Le pénitencier pensa aux fêtes de Penka Šišman. C'était sûrement elle qui animait les soirées.

Puis, sur les photos, l'atmosphère changeait radicalement.

La joie s'évanouissait. Les smokings et les robes du soir étaient remplacés par de longues tuniques noires. Les chaussures brillantes à talons par des chaussures en toile blanche. Les regards derrière les masques devenaient vides et inexpressifs. Penka était morte, cela se comprenait aisément. Les fêtes n'étaient plus les mêmes. Le carnaval s'était transformé en rite obscur de l'Église de l'éclipse.

« Il demandait à ses invités de se livrer à des rituels de magie, des séances de spiritisme », avait dit Cornelius à propos du changement de Nikolay après la disparition de sa femme.

Cette métamorphose était évidente. D'innocentes réunions festives et conviviales s'étaient converties en un culte païen pervers. Des scènes orgiaques agrémentées de symboles mystérieux. Sur certaines, des animaux étaient présents : un agneau, un chien noir, un corbeau, un chat.

Marcus s'arrêta sur une image qui remontait à de nombreuses années. Au centre du cercle de masques se tenait une jeune fille nue. Son corps était jeune et souple. Et son visage n'était pas caché.

« Je me rappelle être allée à une fête. Je n'étais plus dans mon état normal. Un mois plus tard, j'ai découvert que j'étais enceinte. »

Les mots de Matilde Frai résonnaient encore dans les oreilles du pénitencier. Mais sur la photo, la jeune fille ne donnait pas l'impression d'avoir perdu le contrôle d'elle-même. Au contraire, elle dominait la scène. Dans une pose provocante, elle faisait clairement un clin d'œil à l'objectif.

— Mon Dieu, sauvez-nous, dit Marcus au silence de la salle de bal quand il vit le cercle bleu ciel tatoué sur son ventre.

L'ex-sœur était l'une d'entre eux.

Le procès du Tribunal des âmes était également appelé « office des ténèbres ».

Le nom du rituel dérivait du grand candélabre doré posté au centre de la salle où se réunissait la sainte cour. Il avait douze bras, sur lesquels étaient allumées douze bougies.

Autour, douze confessionnaux formaient un demi-cercle. Ils hébergeaient le jury.

D'habitude, pour garantir la plus grande équité possible du jugement, les membres du collège qui devaient s'exprimer sur la *culpa gravis* d'un pécheur étaient tirés au sort parmi les hauts prélats et les simples prêtres de Rome. Cette nuit, il avait été difficile de les localiser. Toutefois les chanceliers avaient réussi et tout était maintenant prêt pour que le procès commence.

Le cardinal Erriaga achevait de se vêtir dans la sacristie. Il avait enfilé ses ornements, il ne manquait que sa cape rouge pourpre. Sans s'en apercevoir, il gagnait du temps. Après avoir lu le péché noté dans le calepin, il se débattait entre doutes et incertitudes. Qu'était-il juste de faire ? Au sein de la cour, l'Avocat du diable avait le rôle de l'accusation. Erriaga aurait dû insister pour qu'aucun pardon ne soit accordé au pénitent. Mais cette fois, ce qui était en jeu n'était pas seulement le destin d'une âme. Il y avait bien plus. Il s'agissait des fondements mêmes de l'Église.

Les signes étaient apparus. La prophétie de Léon X s'était avérée, près de cinq cents ans après la mystérieuse mort du pape.

Cette pensée l'atterra mais il était tard, il ne pouvait plus tergiverser. Il enfila sa cape.

— Le Tribunal des âmes s'achève cette nuit, dit-il à voix basse.

Puis il fit glisser sa capuche sur sa tête et se dirigea vers la salle.

Les onze membres du jury entrèrent en ligne, vêtus de noir, le visage recouvert. Chaque fois que l'un d'eux passait près du candélabre, il éteignait une flamme avec deux doigts. Puis il prenait place dans le confessionnal qui lui avait été assigné. Comme prévu, à la fin il ne resta qu'une bougie, et un confessionnal vide. Dans la symbolique du rituel, où douze était le nombre des apôtres, les deux éléments représentaient Judas – le traître qui n'était pas admis à cette réunion.

L'Avocat du diable se munit du grand cierge qui représentait la figure du Christ et fit son entrée dans la salle en passant sous l'arc soutenu par des colonnes de marbre. Il alla déposer son cierge au centre du candélabre doré, puis il s'adressa aux confessionnaux. Il ne pouvait pas voir les visages des jurés cachés dans l'ombre, mais il était conscient qu'ils l'observaient.

— Frères, débuta-t-il. Au moment où je vous parle, Rome et le christianisme sont sous la menace d'un grave danger. Hors de cette salle, au-delà des murs de ce palais, des dizaines, peut-être des centaines de vies ont été arrachées et autant d'âmes luttent encore pour survivre. Nous avons une grande responsabilité cette nuit : décider si nous devons ou non en sauver une, souligna-t-il en levant l'index au ciel, avec l'emphase du magnifique orateur qu'il était. Toutefois, de ce que nous déciderons dépendra aussi le salut de tant d'autres, scanda-t-il en attendant que l'écho dépose ses mots dans le silence de la salle, comme des cailloux au fond d'un étang, avant de prendre le calepin et de lire : « Nous sommes le 22 février, il est 23 heures à Rome. Il y a deux heures a été annoncé un black-out qui commencera à 7 h 41 demain, mais j'ai des raisons de penser que je ne verrai pas le soleil se lever… Je suis un pénitencier au service du Tribunal des âmes, un chasseur des ténèbres. Pendant des années j'ai servi la sainte cour, j'ai veillé sur le mal et sur le péché qui envahissent le monde en secret. Je m'apprête maintenant à accomplir l'acte conclusif de ma dernière enquête. Mais cette fois, pour porter ma mission à terme, j'ai dépassé les limites de mon devoir et j'ai enfreint mes vœux. Pour cette raison, avant de mourir, je demande à être absous des péchés que je m'apprête à reporter dans ces pages. Malheureusement je ne suis pas en mesure d'éviter ce qui arrivera demain, quand l'obscurité s'abattra sur Rome. »

Erriaga marqua une pause.

— « La seule circonstance atténuante à mon échec est d'avoir sauvé la vie d'un enfant… »

18

— Matilde Frai nous a bernés.

Sandra, toujours au volant de l'utilitaire, parlait au téléphone satellite avec Marcus. La ligne était très mauvaise.

— Je ne comprends pas, qu'est-ce que tu veux dire ? demanda-t-elle, n'ayant pas saisi le début de la phrase.

— C'est elle. Elle a tué les autres… L'Évêque, le Fabricant de jouets, et maintenant l'Alchimiste, expliqua le pénitencier en faisant les cent pas dans la salle de bal du palais des Šišman pour essayer de mettre de l'ordre dans ses idées. Elle m'a balancé dans le Tullianum parce que j'avais tout compris. J'ai survécu, mais elle a été aidée par mon amnésie.

Il lui raconta la photo et le tatouage sur le ventre. Sandra était bouleversée.

— Tu es en train de me dire qu'elle a eu un rôle dans la disparition de son fils, qu'elle était d'accord ? demanda-t-elle en constatant que cela avait du sens.

Crespi a été tué par la torture de la cendre. Je me suis demandé comment l'assassin avait pu trouver l'appartement relais. C'est évident : c'est nous qui avons conduit

Matilde jusqu'à lui. Elle a dû nous suivre quand nous sommes sortis de chez elle.

— Et il y a autre chose, ajouta Marcus. J'ai trouvé la prison de Tobia. Ils l'ont gardé dans un palais du centre pendant neuf ans, mais à présent ils l'ont déplacé.

— Pourquoi ?

— Je ne sais pas, mais l'enfant est au cœur du plan de l'Église de l'éclipse depuis le jour de sa naissance. Toutefois, je ne pense pas que cela soit uniquement parce qu'il est le fils d'une sœur : sinon, pourquoi mettre en scène une disparition neuf ans auparavant et le maintenir en vie depuis ?

— Chantage, répondit Sandra. Crespi a écrit ce mot sur le mur avant de mourir.

— En effet, convint le pénitencier. Quelqu'un d'autre sait que Tobia n'a pas simplement disparu dans le néant, mais qu'il a été enlevé. Pendant toutes ces années, les adeptes de l'Église de l'éclipse se sont servis de cet enfant pour obtenir des faveurs de cette personne.

— Le père, dit la policière. Une telle menace n'a de prise que sur un parent. Nous devons découvrir qui est le père de l'enfant.

Marcus était d'accord.

— Il n'y a qu'une seule façon : nous devons arrêter Matilde Frai et lui extorquer son nom. Où es-tu ?

Sandra ne lui raconta pas l'épisode de la fête foraine. Elle ne voulait pas qu'il s'inquiète, et puis cela n'aidait l'enquête en rien.

— Je peux être à l'Esquilino dans vingt minutes.

— D'accord, on se retrouve là-bas.

Marcus rangea son téléphone. Il en avait vu assez, il pouvait quitter le palais. Quand il descendit l'escalier principal, il entendit un son étrange. Comme une litanie lointaine et incompréhensible.

Cela provenait du quatrième étage.

Le pénitencier éteignit à nouveau sa lampe torche et monta, se demandant ce que cela pouvait être. En haut, il n'y avait que les combles. Une porte en bois oscillait sur ses gonds. Maintenant, le son était plus clair : cela ressemblait à une transmission radio. On entendait distinctement une voix qui déclamait un discours.

« Attention. Ceci est le premier communiqué du nouvel ordre constitué. Nous avons pris Rome, Rome est à nous. Les tuteurs de la loi et les forces de l'ordre se sont déjà rangés de notre côté… »

Marcus ouvrit la porte et vit des vieux meubles entassés. Le sol était couvert d'eau et de feuilles entrées avec le vent. En effet, au fond de la pièce, une mansarde était ouverte, offrant une vue sur la cime blanche de l'immense Autel de la Patrie, éclairé par une pleine lune inattendue.

Le pénitencier entra dans la pièce, à la recherche de la voix mystérieuse.

« Nous prévenons les soldats qui voudraient entrer dans la capitale : restez loin d'ici, cette ville nous appartient. Si vous franchissez les frontières sacrées, vous ne rentrerez jamais dans vos familles, vous ne reverrez pas vos enfants, femmes, maris ou fiancés, et vos parents vous pleureront… »

Dans la pièce du fond, il découvrit un appareil. La voix provenait d'un haut-parleur.

« Attention, peuple de Rome : le pape s'est enfui et les catholiques n'ont plus de guide. Les murs du Vatican sont tombés, même la chapelle Sixtine a été conquise. »

Marcus s'approcha. Il s'agissait d'un émetteur radiophonique alimenté par une batterie de voiture. Un gros câble montait au plafond avant de disparaître entre les poutres en bois. Il était vraisemblablement relié à une antenne sur le toit.

« Convertissez-vous au Seigneur des ombres, descendez dans les rues et tuez les infidèles qui oseront s'opposer à vous. Ceux qui n'obéiront pas seront considérés comme les ennemis de l'Église de l'éclipse. »

La voix s'interrompit brusquement. Le pénitencier entendit un bruit mécanique et aperçut un vieux tourne-disque à côté de l'émetteur, sur lequel était posé un disque vinyle. Le bras avec la pointe était relié à un minuteur rudimentaire, avec au centre un chronomètre de précision. Il était réglé sur un intervalle de quinze minutes.

Il se rappela les paroles du veilleur de nuit de l'hôtel Europa, quand il avait décrit à Sandra ce qu'il entendait dans son transistor. Ce fou essayait de terroriser les gens avec une sorte de communiqué. Il se demanda combien de personnes, anxieuses d'obtenir des nouvelles, avaient intercepté ce message.

Le pénitencier arracha les fils qui reliaient l'engin à la batterie, mettant fin à l'émission. Mais il n'eut pas le temps de se relever : quelque chose de dur s'abattit sur sa nuque. Il perdit connaissance.

Une étrange lune blanche était apparue dans le ciel de Rome. Sandra en avait profité pour se garer à un pâté de maisons de l'appartement de Matilde Frai. De là, elle pouvait surveiller l'entrée de l'immeuble en attendant le pénitencier. Elle n'était pas certaine que la femme soit chez elle, et elle était convaincue que Marcus aurait été du même avis. Si cela se vérifiait, ils pourraient toujours fouiller son domicile.

La mère de Tobia avait un plan et elle avait probablement passé les dernières heures et les jours précédents à le concrétiser. Une série de crimes atroces.

La découverte que le mystérieux assassin était un membre de la secte l'avait déstabilisée, comme Marcus. Dans quel but tuer d'autres adeptes ? Matilde Frai était-elle l'énigmatique Maître des ombres, ou bien obéissait-elle aux ordres de quelqu'un d'autre ?

Sandra regarda l'heure sur le tableau de bord de l'utilitaire. Le pénitencier était en retard, toutefois elle n'imaginait pas agir seule. Elle avait un revolver mais plus de munitions. En outre, Matilde avait prouvé son adresse. Elle avait tué des hommes de façon atroce et elle avait même eu raison de Marcus, qu'elle avait jeté dans le Tullianum. Non, c'était trop dangereux : mieux valait attendre.

Quelques minutes passèrent, puis Sandra remarqua un mouvement dans la rue déserte. Quelqu'un était sorti de l'immeuble qu'elle surveillait. *Cela ne peut pas être elle*, se dit Sandra. La silhouette remonta la rue, en direction de l'utilitaire. La policière glissa au pied de son siège, espérant ne pas être vue. Quand l'ombre passa devant le véhicule, elle la reconnut : c'était bien Matilde Frai.

Elle portait une petite valise. Il était impossible de quitter la ville, se rappela Sandra, alors où allait-elle ? Elle attendit que la femme tourne au coin de la rue pour descendre de son véhicule et la suivre. Malgré son bagage, elle avançait d'un pas décidé, enveloppée dans un châle noir qui lui descendait jusqu'aux pieds.

Dessous, elle portait des chaussures en toile blanche.

Elles traversèrent ainsi presque tout le quartier Esquilino. Sandra profitait de la lumière de la lune pour se tenir à distance sans la perdre de vue. Elles se retrouvèrent au bout de la via Carlo Felice, qui s'achevait au pied d'un des murs auréliens, où se logeait une vieille tour délabrée.

Matilde y entra et disparut de sa vue.

Sandra prit son téléphone satellite et essaya d'appeler Marcus pour le prévenir du changement de programme. Elle espérait qu'il arrive à temps. Mais cela sonnait dans le vide. *Où es-tu donc ?* Il était possible que la construction ait une autre sortie, elle risquait donc de perdre sa cible. Après réflexion, elle décida d'agir seule.

Elle traversa la rue et s'introduisit dans la tour. Grâce à la lumière de la lune qui filtrait par les fissures dans les murs, elle constata que l'intérieur était plus grand que ce qu'on imaginait de l'extérieur. Des restes de fresques sur les parois lui indiquèrent qu'il s'agissait d'un ancien oratoire, probablement désacralisé. Le plafond était haut et en mauvais état. Des oiseaux, qui avaient trouvé refuge dans la structure, semblaient ne pas apprécier sa présence. Ils s'agitaient dans la pénombre, quelque part au-dessus de sa tête. Où était Matilde ? Elle aperçut un escalier en bois au fond de la salle. Elle s'approcha, s'appuya à la rampe pour en tester la solidité. Elle bougeait. Pourtant, elle était sûre que la femme était montée par là. Sandra sortit son revolver déchargé, au moins elle pourrait s'en servir pour la menacer. Puis elle posa le pied sur la première marche et entama la montée.

Arrivée en haut de l'escalier, elle la vit au fond de la pièce, la valise posée à ses pieds. Matilde Frai lui tournait le dos et regardait par la fenêtre. Elle fixait la petite lune qui veillait sur Rome.

— Autrefois, cet endroit était une église, dit-elle tranquillement. Elle était dédiée à Santa Margherita di Antiochia, protectrice des parturientes.

— Tu les as laissés prendre ton fils, affirma Sandra en retour. Quelle mère es-tu ?

— Ceci est la chambre de l'ermite, un homme qui avait renoncé à tout pour vivre dans la grâce du Seigneur, reprit Matilde Frai, qui ne sembla pas troublée par l'accusation mais se retourna pour la regarder. Il faut être très fort pour renoncer à ce qu'on aime le plus au monde.

Sandra secoua la tête.

— Ressens-tu de la haine ou du remords ?

— Je ne me suis jamais soustraite à votre jugement. Je suis toujours restée là où j'étais. Il vous suffisait de venir me chercher… mais personne ne l'a fait.

— Alors pourquoi essaies-tu de t'enfuir, maintenant ? demanda Sandra en indiquant la valise.

— Le Maître m'avait mise en garde, sourit Matilde. Il m'avait dit de faire attention. Je me suis tout de suite aperçue que tu me suivais.

— Où est Tobia ?

— Je ne sais pas, répondit-elle sincère.

— Tu veux dire que durant tout ce temps tu n'as jamais eu envie de le voir ?

— Tu plaisantes, n'est-ce pas ? Je l'invente chaque jour. Je parle avec lui, je lui explique encore les choses. Mais Tobia ne répond jamais… Sauf ce matin, ajouta-t-elle avec un sourire. Quand l'appel est arrivé, une minute avant le black-out, j'ai compris que c'était un signal et que, après des années d'attente, le moment était venu d'agir. Mes souffrances allaient enfin être récompensées.

Sandra ne ressentait aucune peine pour elle.

— Qui est le père de Tobia ?

— J'ai déjà répondu à cette question.

— Tu as menti.

— Même si c'était le cas, je ne pourrais pas te le dire. C'est trop important.

— Que penses-tu obtenir de tout cela ?

— Je crois au Seigneur des ombres et à son prophète, le Maître. Il m'a sauvée. J'ai une dette envers lui.

La femme retira son châle.

— Arrête ! l'intima la policière avec son revolver, craignant qu'elle cache une arme.

Mais Matilde tendit simplement la main vers elle.

— C'est ta dernière chance de te joindre à nous.

Elle lui tendit une hostie noire.

Sandra ne répondit pas.

— Comme tu veux, répondit Matilde Frai en ouvrant la bouche avant de l'avaler. Mon voyage s'achève ici.

Elle secoua les épaules et le châle tomba à ses pieds. Puis elle se tourna vers la fenêtre et, les bras écartés, elle se jeta dans le vide.

Sandra n'avait pas fait un geste pour l'arrêter. Elle était restée immobile. Elle n'avait aucun intérêt à sauver un tel être humain. Et Matilde n'aurait jamais parlé. Une femme capable de faire ce qu'elle avait fait, de résister à ce à quoi elle avait résisté, n'aurait pas cédé si près de la fin.

Elle s'approcha et la vit en bas, écrasée sur le pavé. Elle s'en désintéressa pour se consacrer à la valise qu'elle avait apportée, espérant y trouver un indice. Elle l'ouvrit : elle contenait des vêtements d'homme. Il y avait aussi un rasoir et un nécessaire de voyage.

Elle fut distraite par un bruit familier : le téléphone sonnait dans sa poche.

— Marcus, dit-elle.

Seul le silence lui répondit. Toutefois, il y avait quelqu'un : elle entendait sa respiration.

— Qui es-tu ? demanda-t-elle calmement.

— Salut, Vega.

C'était la voix d'un mort. Vitali.

19

— Fils de pute.

Vitali rit, manquant de lâcher le téléphone satellite. Il était forcé de l'admettre : la policière lui plaisait.

— Que lui est-il arrivé ? Que lui as-tu fait ?

— Du calme, Vega, il s'agit juste d'une rencontre entre gentilshommes.

Il envoya un coup de pied à Marcus qui était assis par terre, les mains sur la tête, à portée de tir.

— Il est en état d'arrestation ?

Ne sachant que faire, elle avait posé la première question qui lui était passée par la tête.

L'inspecteur était amusé.

— Réfléchis, Sandra – je peux t'appeler Sandra, n'est-ce pas ?

— Oui, répondit-elle sans savoir pourquoi.

— Donc, je disais : réfléchis, Sandra. Le monde tel que nous le connaissions avant n'existe plus. Ou, du moins, il s'est pris une pause pour réfléchir. Donc, les règles d'avant ne valent plus : il n'y a plus de droits civils, de tribunaux ni de tuteurs de la loi. Nous sommes en guerre et nous sommes tous ennemis. Seules les alliances temporaires comptent.

Sandra n'en pouvait plus du sarcasme de ce salaud.

— Que veux-tu?

— Que tu viennes me raconter ce qu'il se passe, parce que ton ami Marcus a l'air muet.

Il lui donna un autre coup de pied, cette fois dans le dos.

— Je sais déjà beaucoup de choses sur lui.

Vitali sortit de sa poche le papier où étaient notés les éléments de l'enquête qu'il avait retrouvés dans le sac de Sandra. Il parcourut la liste.

— Par exemple, je sais qu'il a eu une amnésie temporaire. Moi j'ai essayé de lui faire retrouver la mémoire, parce qu'on dit que parfois un coup sur la tête fait des miracles, mais cela n'a servi à rien.

Marcus sentait son sang couler sur sa nuque. Vitali l'avait réveillé en le rouant de coups. Maintenant, tout endolori et sous la menace d'une arme, le pénitencier préférait attendre avant de hasarder une réaction. Il voulait voir la tournure que prendraient les événements.

— Ton ami ne veut pas me parler, se plaignit l'inspecteur. Tu y crois? Dans le fond, je suis un type jovial.

— Si je viens vous retrouver, qu'est-ce qui me dit que tu ne vas pas nous tuer tous les deux?

— La méfiance est un luxe que tu ne peux pas te permettre, Vega. Tu ne viens pas : il meurt. Tu viens : peut-être que je vous laisse tous les deux en vie. Décide toi-même.

— Je ne viens pas, dit-elle instinctivement.

284

— Je pensais qu'il y avait de la tendresse entre vous, rit Vitali. Mais les femmes sont versatiles, c'est bien connu.

Marcus ne voulait pas que Sandra vienne les retrouver. Il était certain que Vitali n'hésiterait pas à les éliminer tous les deux. Il préférait se sacrifier lui-même, en tentant une sortie dangereuse pour désarmer l'inspecteur.

— Je ne vais pas jouer ton jeu. Tu m'as déjà bernée, je sais comment ça marche.

— Tu ne sais rien du tout, Vega, dit Vitali d'un ton soudain glacial. J'ai lu toutes tes notes, mais toi et ton ami êtes très loin de la vérité.

Il tira.

Le coup résonna dans le téléphone, secouant Sandra.

— Palais Šišman, via della Gatta, quatrième étage, dit l'inspecteur. La porte est ouverte, précisa-t-il avant de raccrocher.

Sandra Vega ne savait pas quoi faire. Elle quitta la tour de l'oratoire. Pour le moment, elle n'avait pas le temps de s'occuper de la valise pleine de vêtements masculins de Matilde Frai. Elle devait trouver un moyen de libérer Marcus.

En marchant, elle élabora un plan d'action. Vitali avait raison quand il soutenait que les règles avaient changé. En cette nuit délirante, tout le monde avait perdu quelque chose. Mais si, au terme du black-out programmé, la paix revenait, alors la chasse aux responsables démarrerait.

L'inspecteur avait dit qu'elle et Marcus étaient loin de la vérité. C'était peut-être le cas. Ils avaient perdu le fil de l'enquête et n'auraient jamais le temps de retrouver Tobia Frai et le Maître des ombres, ni d'éradiquer totalement l'Église de l'éclipse. Mais ils avaient mis l'assassin des adeptes hors d'état de nuire. Cela constituerait une bonne monnaie d'échange pour obtenir la libération de Marcus. Dommage que Matilde Frai se soit suicidée.

Toutefois, elle avait encore quelques avantages sur Vitali. Quelqu'un devrait en tenir compte, et elle savait qui. C'était Crespi qui lui en avait fourni l'idée : un chantage.

Quand elle arriva à l'entrée de la fourmilière, elle se retrouva devant un barrage d'hommes armés. Elle leva les mains et posa son arme déchargée sur l'asphalte.

— Je suis l'agent Vega, du bureau des passeports ! cria-t-elle.

Quelqu'un alluma un puissant projecteur et le pointa sur elle, l'aveuglant. Puis elle entendit un bruit métallique à quelques mètres d'elle.

— Mets-les, lui dit une voix péremptoire.

Sandra ramassa les menottes par terre. Elle les passa à ses poignets et les exposa à la lumière. Deux hommes armés de fusils d'assaut vinrent la chercher et la conduisirent de l'autre côté de la barrière. Un sergent qu'elle reconnut se planta devant elle.

— Que fais-tu ici ?

— Je veux parler au chef.

— Je ne pense pas que ce soit possible. Si tu veux, tu peux choisir un uniforme et te joindre à nous.

— Dites-lui que j'ai un message de la part de l'inspecteur Vitali.

Dix minutes plus tard, ils lui retirèrent les menottes et ils l'introduisirent dans le bureau du préfet. Le chef de la police Alberti était avec lui.

— Prenez place, agent, l'invita De Giorgi. Vous savez où se trouve l'inspecteur Vitali ? Il a besoin d'aide, par hasard ?

— Il s'en sort très bien tout seul, merci, répondit Sandra.

— Alors, ce message ? la pressa le préfet de police.

— J'ai vu des hélicoptères. Ils seront bientôt ici, n'est-ce pas ? Dès que le soleil se lèvera, ils arriveront en masse.

— C'est le plan, oui, admit Alberti.

— Il ne vous reste donc pas beaucoup de temps pour décider comment sauver votre cul.

L'expression fit blêmir ses supérieurs.

— Que cherchez-vous à obtenir ? demanda le chef de la police.

— Je peux prouver que Vitali connaissait le danger lié au black-out et qu'il n'a rien fait.

— Que savez-vous d'autre ? enchaîna Alberti, curieux.

— Que l'inspecteur était au courant de l'existence de l'Église de l'éclipse et de l'hostie noire bien avant la première vidéo que vous m'avez montrée ce matin. Et s'il le savait, lui…

— C'est une insinuation très lourde, dit le chef. Vous vous en rendez compte, agent Vega ?

— Oui, monsieur.

Elle risquait d'être jugée pour trahison, mais elle n'avait pas le choix.

— Je ne vous menace pas. Je vous fais une proposition… L'inspecteur m'a bernée puis m'a utilisée, cet homme doit payer.

— Aidez-moi à comprendre, demanda De Giorgi en croisant les bras. Vous nous suggérez de tout mettre sur le dos de Vitali, et vous offrez de nous soutenir dans cette thèse. Mais avec quels arguments ? Et que voulez-vous en échange ?

— Je veux que vous le rappeliez.

— Pourquoi ? demanda le préfet de police.

— Je ne peux pas vous le dire.

— Vous avez des ennuis ? demanda ironiquement Alberti avant de s'adresser au préfet : Notre Vitali n'est pas un type simple. Il ne plaît à personne.

Sandra ne comprenait pas les raisons du sarcasme. Elle repartit à l'attaque :

— Je suis au courant de l'unité secrète qui s'occupe des crimes ésotériques – bureau des statistiques, tu parles !

— Unité secrète ? Crimes ésotériques ? s'étonna le chef de la police.

— Il est inutile que vous fassiez comme si de rien n'était. Depuis des années, Vitali s'occupe d'affaires qui sont tues aux médias pour ne pas vous mettre dans l'embarras, vous et vos supérieurs.

— Qui vous a raconté ça ? demanda le préfet de police, amusé.

— Le commissaire Crespi.

Maintenant qu'il était mort, elle pouvait citer son nom.

— Eh bien, il s'est moqué de vous, déclara De Giorgi en la regardant dans les yeux. L'unité dont vous parlez n'existe pas, agent Vega.

— Elle existera à partir du moment où quelqu'un vous ordonnera d'annuler le quatrième niveau d'urgence pour les dossiers de Vitali. Beaucoup de gens se demanderont pourquoi l'inspecteur est constamment muté d'un service à un autre. J'ai vu ses états de service : il s'est occupé de la revue de la police, du parc des véhicules, et même des relations publiques…

— C'est vrai, admit enfin le chef. Les affaires de l'inspecteur Vitali sont confidentielles. Et il est également vrai que nous le mutons en permanence.

Sandra était satisfaite : elle avait marqué un point.

— Mais c'est une mesure de sécurité nécessaire pour le protéger, lui. Pas ses enquêtes, poursuivit De Giorgi.

Sandra ne comprenait pas.

— Le protéger de quoi ? Je ne vous crois pas.

— Agent Vega, comme je vous le disais, il n'existe pas d'enquêtes sur des crimes ésotériques.

Puis il ajouta :

— L'inspecteur Vitali est de la brigade des stupéfiants.

20

Sandra imaginait que le préfet allait la faire arrêter immédiatement. Mais De Giorgi voulait seulement qu'elle voie quelque chose de ses propres yeux. Ils laissèrent le chef de la police dans le bureau et le préfet l'accompagna lui-même dans la partie la plus retirée de la fourmilière.

Les cellules haute sécurité.

Les architectes du bunker avaient prévu qu'elles hébergeraient des prisonniers particuliers.

— Ici sont passés des boss de la mafia, des terroristes et des tueurs en série. Quand il y avait besoin de les changer de lieu de détention et de les amener à Rome, on les conduisait ici, où ils étaient interrogés en secret.

Sandra ne comprenait pas le sens de cette visite guidée. Ils arrivèrent devant une grille et De Giorgi fit signe aux gardes de les laisser entrer. Ils parcourent un long couloir sur lequel donnaient plusieurs cellules.

Toutes vides, sauf une.

Quand ils arrivèrent à sa hauteur, De Giorgi tendit le bras pour que Sandra regarde à l'intérieur.

— Il a été arrêté il y a deux heures dans une perpendiculaire de la via Veneto. C'est moi qui ai donné l'ordre de l'amener ici.

Il avait vingt-cinq ou vingt-six ans. Il avait les sourcils très blonds et le crâne rasé. Un navire était tatoué sur son cou. Il portait un tee-shirt blanc et un jean. Les gardiens avaient emporté ses chaussures, aussi il était pieds nus sur le béton.

Le dormant se tenait droit sur ses jambes maigres, au centre de la minuscule cellule. Il regardait devant lui, les yeux vides. Il ne bougeait pas mais son équilibre était légèrement instable, comme s'il ondulait sous l'effet d'une brise invisible.

— Il nous entend ? demanda Sandra un peu naïvement.

— Il peut même parler, répondit De Giorgi.

— L'hostie noire, dit la policière en pensant à la scène du parc d'attractions de l'Eur.

Le préfet acquiesça.

— Agent Vega, que savez-vous du captagon ?

— Le captagon ? répéta Sandra en le regardant.

— Chlorhydrate de fénétylline, mieux connu sous le nom de « drogue de Dieu ».

Il attendit qu'elle réalise à l'information avant de poursuivre :

— Elle a été synthétisée en 1961 par une société allemande et pendant vingt-cinq ans elle a été utilisée pour traiter la narcolepsie et la dépression. Elle était également donnée aux malades incurables pour calmer la douleur. Par la suite, la fénétylline a été interdite dans de nombreux pays, y compris l'Italie, à cause de ses effets secondaires. Les plus fréquents sont une transe hypnotique et des hallucinations mais, surtout, c'est un puissant excitant qui stimule l'agressivité.

Sandra repensa au groupe qui l'avait agressée hors de la fête foraine. Tandis qu'elle tirait sur eux toutes les balles de son revolver, ils ne semblaient pas avoir peur de mourir.

— Alors c'est de cela qu'il s'agit : l'affaire de Vitali concerne un trafic de drogue.

— En 2011, un laboratoire en Bulgarie a clandestinement repris la production. Depuis, la fénétylline se trouve facilement sur les lieux de deal. Elle a de plus en plus d'adeptes parce qu'elle coûte moins cher que les amphétamines et que son effet est plus long. Il y a environ dix jours, des informateurs en contact avec les bandes qui contrôlent le marché des drogues synthétiques dans la capitale nous ont signalé une augmentation insolite de l'offre de captagon.

— Insolite à quel point ?

— Au point de faire exploser le business. Quelqu'un introduisait d'énormes quantités de la substance sous une forme très pure sur le marché. Quand il a appris la nouvelle, Vitali nous a mis en garde, parce que nous risquions de perdre le contrôle de la situation. En effet, il existe des précédents où l'utilisation diffuse de captagon a créé des problèmes d'ordre public. Il est utilisé par les casseurs ou par les anarchistes quand ils se lancent dans une opération commando, ou veulent attiser une révolte. Ce sont eux qui l'ont surnommé la « maladie ».

— Donc, c'est par hasard que Vitali est tombé sur l'Église de l'éclipse.

— Exactement, confirma De Giorgi. Il enquêtait sur un mystérieux personnage surnommé l'« Alchimiste », un chimiste bulgare dont l'inspecteur essaie toujours de découvrir la véritable identité.

Šišman. Au téléphone, Vitali lui avait cité ce nom en indiquant le palais de la via della Gatta où elle devait se rendre si elle voulait sauver Marcus.

— Quand nous avons vu le film du téléphone oublié dans le taxi, hier soir, nous avons compris que le captagon était devenu un problème. Le pauvre dealer mort en ingérant de la soude caustique a probablement été utilisé comme exemple par une organisation criminelle pour faire comprendre au chimiste bulgare et à sa bande au tatouage du cercle bleu qu'il fallait arrêter de distribuer la came gratis.

Sur ce point, De Giorgi se trompait. Sandra avait vu le même homme sur les photos du Colisée : ce n'était pas un dealer comme les autres, il avait enlevé Tobia et Matilde Frai l'avait tué. Mais elle ne dit rien. Elle était curieuse de savoir comment le choix de l'Église de l'éclipse s'était porté justement sur cette substance.

— Pourquoi la « drogue de Dieu » ?

— Parce que, depuis les années soixante-dix, les sectes religieuses se servent de la fénétylline pour faire des lavages de cerveau à leurs adeptes. Actuellement, la captagon est très en vogue chez ces fils de pute des égorgeurs de Daesh. Ils enlèvent des malheureux, ils leur donnent la pilule noire. Ceux-ci se retrouvent tout droit au paradis avec les vierges et, au réveil, ils s'empressent d'aller décapiter quelqu'un ou de se faire exploser.

Était-ce donc l'« extase de la connaissance » dont avait parlé Crespi ? Sandra ne pouvait croire que son vieil ami ait renié ses principes pour une hallucination. Mais elle savait que le récit du préfet n'était qu'une partie de la vérité. L'Église de l'éclipse avait un but précis, la fénétylline n'était qu'une composante du plan.

— Pourquoi m'avez-vous amenée ici ? demanda la policière en observant le jeune homme dans la cellule, qui chancelait de plus en plus.

— Vous êtes en train de me dire que j'aurais dû vous faire arrêter tout de suite ? rit De Giorgi. Ma carrière est déjà achevée : demain matin, je présenterai ma démission. Je serai probablement jugé et condamné. Tout le monde m'oubliera et je passerai le restant de mes jours à me demander si j'aurais pu agir autrement, dit-il avant de pousser un grand soupir. Si j'avais écouté Vitali, nous aurions cherché une solution avant que soit diffusée la nouvelle du black-out. Mais nous venons seulement de découvrir un autre des effets de la fénétylline : en plus de la dépression et de la narcolepsie, le captagon était utilisé pour soigner la peur du noir.

Il fit un signe en direction du garde et les lumières s'éteignirent.

Les cris du jeune homme résonnèrent dans les cellules vides. Puis on entendit un bruit soudain, très fort. Sandra reconnut clairement le choc d'un corps humain contre les barreaux. Elle imagina le dormant se jeter violemment dessus, freiné uniquement par cette barrière.

Les lumières se rallumèrent et le jeune homme se recroquevilla sur le sol, où il retrouva son calme.

— L'obscurité amplifie les effets de la fénétylline, la lumière les calme, expliqua De Giorgi. Je suis désolé de vous avoir fait peur.

Le black-out, l'éclipse technologique. La secte avait profité de la situation : elle s'y était préparée.

— À l'aube, tout sera terminé, dit le chef de la police en s'éloignant.

— Il reste quatre heures. Combien de personnes doivent encore mourir ?

Mais De Giorgi ne répondit pas.

— Je sais où est la centrale de deal du captagon. Je sais où ils distribuent les hosties noires, affirma alors la policière.

L'homme se tourna vers elle.

— Rappelez Vitali et je vous dirai comment sauver Rome.

21

3 heures et 29 minutes avant l'aube

Le prisonnier devait être remis à la basilique Santa Maria Sopra Minerva.

Sandra avait choisi le lieu sans hésiter. La basilique était imposante, avec ses gros piliers et son abside profonde. Les nefs latérales abritaient un défilé de chapelles richement décorées de marbre et de fresques.

Sauf une. La dernière sur la droite.

Sandra connaissait bien la raison pour laquelle cette chapelle, dédiée à saint Raimondo di Peñafort, le premier pénitencier de l'histoire, « semblait » la plus pauvre. C'était un secret que Marcus avait partagé avec elle des années auparavant. Presque un pacte d'amour. Si Vitali savait.

Elle les vit arriver ensemble : l'un armé, l'autre menotté. Marcus lui fit comprendre du regard qu'il allait bien. Vitali se plaça derrière lui.

— Comme on se retrouve, inspecteur ? le salua Sandra, sarcastique.

— Moi aussi j'ai cru que j'allais crever dans ce tunnel. Comme vous, d'ailleurs.

— Alors disons que c'est une surprise pour tout le monde.

Vitali glissa quelque chose dans la poche de la veste de Marcus, puis le poussa vers Sandra.

— J'avais pensé te le rendre sans lui libérer les poignets, dit-il en lui lançant la clé des menottes. Cela aurait fait une bonne blague.

— Le préfet de police De Giorgi a constitué une force d'intervention qui est en route vers la fête foraine de l'Eur pour arrêter cette folie, affirma Sandra. Je suis désolée, mais c'est lui qui en retirera tout le mérite.

— Je travaille pour le bureau des statistiques sur le crime et la criminalité, répondit Vitali, moqueur. Ne l'oublie pas, agent Vega, la nargua-t-il avant de s'adresser au pénitencier : Au revoir, mon ami. Je suis sûr que nous nous retrouverons.

— Savais-tu que Léon X est enterré dans cette basilique ? lui demanda Marcus.

Mais Vitali s'en moquait. Il marcha vers la sortie.

Sandra retira les menottes à Marcus et prit la feuille que l'inspecteur avait glissée dans la poche de sa veste.

— Ce sont les éléments de l'enquête, dit-elle en reconnaissant les notes prises dans l'appartement relais. Il a dû trouver mon sac dans le tunnel. Tu avais raison : il ne faut jamais laisser de preuves écrites.

— Pourquoi m'a-t-il libéré ?

Sandra lui raconta l'histoire du captagon et de ce qu'était en réalité l'hostie noire.

La fiole rose dans le laboratoire de Nikolay, se rappela le pénitencier. L'Alchimiste l'avait synthétisée pour alléger les souffrances de sa femme.

— Il faut courir chez Matilde Frai, dit-il. C'est la seule piste qu'il nous reste.

— Elle est morte. Elle s'est suicidée sous mes yeux.

Marcus accueillit la nouvelle avec stupeur et tristesse.

— Elle a dit quelque chose avant de s'ôter la vie ?

— J'ai essayé de lui faire avouer le nom du père de Tobia, mais en vain. Elle le connaissait. Il ne s'est pas agi d'un viol : elle était consentante.

Encore un élément en faveur du chantage, pensa-t-il.

— Autre chose, dit Sandra. Elle avait une valise avec elle. Qui contenait des vêtements d'homme et un rasoir.

Le pénitencier réfléchit, mais ne trouva pas de réponse.

— Nous devons aller chez Matilde Frai chercher un indice, quelque chose.

C'était une tentative désespérée, Sandra aussi le savait. Mais ils n'avaient pas d'alternative.

Quand ils entrèrent dans le modeste appartement de Matilde Frai à l'Esquilino, ils furent accueillis par la très forte odeur habituelle de nicotine. Le fantôme des cigarettes les suivit jusque dans la cuisine. Quelques heures plus tôt, assis à cette table, ils avaient écouté les paroles éplorées d'une mère contrainte de vivre avec un terrible mystère : le sort de son fils. Sandra repensa à une des phrases de la femme : « Les gens imaginent que certains drames arrivent de façon ostentatoire. En fait, c'est très simple. »

Marcus regardait autour de lui. Les cendriers empilés dans l'évier avec une assiette et un verre. La tasse à café. La petite éponge posée sur le bord en céramique criblé d'auréoles jaunes de cigarettes. La radio sur l'étagère. L'horloge murale. Les détails d'une petite vie, identique à tant d'autres. Mais ces objets étaient complices. Ils cachaient l'atroce secret de Matilde. Ils avaient écouté ses paroles, adressées au silence. Ils avaient été témoins de ses pensées.

Le pénitencier fit mentalement la liste des victimes de la femme assassine. Gorda, l'évêque étranglé à distance avec le collier du plaisir. Le Fabricant de jouets, dévoré vivant par les mouches. Le ravisseur de Tobia qu'on voyait sur la vidéo, contraint à boire de la soude caustique. Le commissaire Crespi, étouffé par les cendres. L'Alchimiste, pendu la tête en bas.

Et moi, se dit-il.

J'aurais dû mourir dans le Tullianum, mais ce n'est pas arrivé. Avait-il eu de la chance ? Non, la chance n'avait rien à voir là-dedans. Si le destin avait joué un rôle positif dans cette histoire, alors il lui aurait laissé la mémoire des événements.

Sans mon amnésie, Rome serait sauve.

— Je propose de commencer par là, dit Sandra.

Il la suivit.

Dans la chambre à coucher, il y avait deux lits simples. L'un était celui de Matilde, l'autre était inchangé depuis la disparition de Tobia. Au-dessus trônait un poster de l'équipe de la Roma. Neuf ans plus tard, certains joueurs avaient achevé leur carrière, d'autres avaient changé de maillot, certains avaient simplement vieilli.

Rien ne rend plus évident l'écoulement du temps qu'un poster de footballeurs, pensa Sandra Vega. Elle se rappelait quand son mari David l'avait emmenée visiter la maison de son enfance, en Israël. Dans sa chambre, il y avait un portrait de l'équipe de Manchester United. En regardant les joueurs un par un, David s'était rendu compte que sur la photo, ils étaient tous plus jeunes que lui.

— Passe-moi la liste, s'il te plaît, demanda Marcus en tendant la main vers elle.

— Tu as une idée ?

— Non, admit-il.

Ils s'assirent sur le lit de Tobia et regardèrent ensemble la liste. Le pénitencier barra les indices qui n'étaient plus utiles.

Méthode de crime : anciennes pratiques de torture.
  Chaussures en toile blanche (Marcus et l'évêque Gorda). Hostie noire (drogué).
Tatouage en forme de cercle bleu : Église de l'éclipse.
  Sacrifices de victimes innocentes.
Black-out – Léon X.
Calepin mystérieux.
Tobia Frai.

Élément accidentel : amnésie transitoire de Marcus.

— Nous aurions dû ajouter Matilde Frai à la liste, dit Sandra, désolée. Nous nous sommes laissé berner par elle parce que c'était une ex-sœur. Or personne n'imaginerait qu'une personne au service de Dieu soit capable de tuer de façon si féroce.

Marcus se concentrait sur la liste. Il cherchait un lien entre le carnet, Tobia et son amnésie.

— J'ai tenu un carnet. C'est étrange, parce que je n'aurais pas dû. Comme tu le sais, les pénitenciers ne prennent pas de notes pour ne pas laisser de traces. Alors pourquoi ai-je pris ce risque? Et surtout, où est-il passé?

— Tu as dû le cacher dans un endroit sûr.

— Oui, mais pourquoi? C'est comme si j'avais prévu mon amnésie et que je voulais m'envoyer des messages. Les pages arrachées que nous avons trouvées étaient des indications sur comment poursuivre l'enquête.

— On ne peut pas prévoir une amnésie, répondit Sandra pour le rassurer.

— Tu as raison, on ne peut pas.

Marcus poussa un long soupir et leva les yeux vers le mur en face de lui. Il y vit le diplôme en lettres classiques et philologie au nom de Matilde. Malgré cela, elle avait travaillé comme femme de ménage. Mais pourquoi cela dérangeait-il tant le pénitencier?

— Il faut fouiller la maison, dit-il. Au travail.

Ils commencèrent par ouvrir les tiroirs puis les vider sur le lit. Ils furetèrent dans leur contenu, à la recherche de quelque chose pour comprendre. Marcus regarda aussi dans les matelas. Il les éventra, sortit la laine et inspecta l'intérieur, mais il ne trouva rien. Puis ce fut le tour de l'armoire. Elle était divisée en deux. D'un côté il y avait encore les vêtements de Tobia, de l'autre ceux de Matilde. Elle ne possédait pas grand-chose. Quatre robes d'été, deux jupes d'hiver, des pantalons et quelques pulls. Toutefois l'attention de Sandra fut attirée par un étui marron, conservé avec soin dans un coin. Elle le ramassa, l'observa, puis baissa la fermeture éclair.

À l'intérieur, un vêtement de religieuse.

Elle s'apprêtait à le reposer quand elle aperçut l'expression de Marcus. Il était troublé.

— Ce n'est pas possible, dit-il en le lui prenant des mains.

Sandra ne comprenait pas. Marcus tenait le vêtement dans ses mains et fixait le voile noir destiné à couvrir le visage. Matilde Frai n'avait pas été une simple sœur. C'était une Veuve du Christ.

22

Quand il arriva au couvent de clôture à l'orée du bois, il n'eut pas besoin de frapper. La porte était ouverte.

Il s'introduisit dans le couloir en pierre et vit le premier corps. Il s'approcha de la sœur étendue sur le sol. Sous le tissu noir qui lui couvrait le visage, elle avait la gorge tranchée.

Un couteau, pensa-t-il. *Comment Cornelius Van Buren se l'est-il procuré ?*

Les bougies qui éclairaient ce lieu depuis toujours – bien avant le black-out – étaient éteintes. Le pénitencier dut donc avancer à la lueur de sa torche électrique. Avec cet objet moderne, il eut l'impression de profaner le vœu de cet endroit du passé, resté intact pendant des siècles. Il trouva le deuxième cadavre dans l'escalier. Il reconnut la Veuve du Christ aux bottines noires chastement nouées jusqu'aux mollets. Il se demanda où étaient les onze autres. Mais il n'imaginait pas que l'une d'elles se soit sauvée de la furie d'une bête si longtemps enfermée. Quand il arriva devant la cellule ouverte, il espéra encore trouver le corps sans vie du vieux tueur en série. De façon absurde, une partie de lui espérait que le Maître des ombres se soit suicidé. Mais il s'était simplement enfui.

La valise avec les vêtements d'homme et le rasoir, pensa immédiatement le pénitencier. Matilde devait l'avoir attendu à l'extérieur des murs du Vatican, le bastion où il avait été emprisonné pendant vingt-trois longues années. Le monde n'avait jamais été au courant de l'existence de Cornelius. Maintenant, le monstre était libre.

— Libre et dangereux, se corrigea Marcus à voix basse.

Van Buren n'était pas parti sans dire au revoir. Il avait laissé quelque chose pour lui sur son lit de camp. Un cadeau. L'incunable de Pline l'Ancien, que le pénitencier lui avait lui-même procuré, le prélevant cette nuit dans la bibliothèque Angelica.

La couverture en cuir du manuscrit était lacérée.

Voilà où était cachée la lame, se dit Marcus. Elle faisait des ménages, mais Matilde Frai avait une maîtrise en lettres classiques et philologie. *C'est elle qui a mis l'arme dans le livre – quel idiot je fais.*

À la première page de l'incunable, il y avait un message, écrit de la main de Cornelius.

Mon cher Marcus,

Je me sens le devoir de t'expliquer. Non seulement parce que tu as joué un rôle déterminant, bien qu'inconscient, dans mon projet. Mais aussi parce que, que tu y croies ou non, durant ces années je me suis attaché à toi.

Au moment où l'on m'a enfermé dans cet endroit, j'ai compris avec une certitude glaciale que je n'en sortirais plus. Un jour je mourrais et on m'enterrerait dans le petit cimetière derrière le couvent, où les Veuves du Christ déposent les restes de leurs consœurs. Sur ma tombe, il y aurait une pierre anonyme. Et personne ne connaîtrait jamais l'histoire de l'être humain enterré dessous.

J'ai longtemps vécu avec cette idée. Cela a été le plus insupportable de l'emprisonnement.

Ainsi, essaie d'imaginer quand je me suis retrouvé face à cette jeune novice pleine de vie et dotée d'une foi très pure. La foi est le plus puissant addictif de l'existence, c'est sur elle que j'ai construit mon plan pour m'évader.

Elle était chargée de m'apporter les repas. Une fois par jour, elle venait me voir. J'essayais de lui parler, mais elle respectait son vœu de silence. Puis je lui ai nommé un incunable de Pline l'Ancien et, étonnamment, une réponse est arrivée de sous le voile noir.

Une phrase brève, mais cela a suffi. Matilde m'a dit :

— Je le connais.

Ainsi a commencé un long dialogue patient, fait de mots volés à grand-peine. Le secret, c'est que je ne l'ai jamais trompée. C'est ma sincérité qui a fini par la convaincre que la meilleure chose à faire pour elle était de poursuivre sa mission dans le monde extérieur. Elle a rendu son habit et a ressuscité pour moi l'ancienne secte de l'Église de l'éclipse.

Son prophétisme a convaincu un évêque en proie à des tentations innommables. Un fabricant de jouets pervers. Un prince bulgare au cœur brisé, passionné de chimie. Et aussi, comme tu le sais, de nombreux autres. Dont un dealer et un commissaire de police.

Ma prêtresse les a réunis sous une unique effigie : le tatouage du cercle bleu. Et dans un seul but : me rendre ma liberté.

Mais nous avions besoin d'une éclipse.

Cela a mis des années. L'attente a été longue et pesante. Puis, un jour, soudain, un signe divin : le black-out.

Je le sais, tu te demandes quel rôle a joué dans tout cela la disparition d'un enfant. Je ne veux pas te priver de la joie de découvrir seul la raison pour laquelle il était nécessaire que Tobia soit prisonnier, exactement comme moi.

Mais je peux te révéler que l'idée de son enlèvement m'a été suggérée par Léon X.

Avant d'émettre la bulle ordonnant que Rome ne devait « jamais jamais jamais » être plongée dans l'obscurité, il avait eu un rêve prémonitoire : une vision de sa propre mort. Sa mort, survenue neuf jours plus tard, a alimenté doutes et mystères. En réalité, ce pape du XVIe siècle, comme tous les puissants, était devenu paranoïaque. Le commun des mortels ne craint que pour sa vie, les puissants n'ont pas ce privilège.

Leur plus grande peur est de mourir privés de leur pouvoir.

Je te laisse, mon ami. Le voyage qui m'attend est long et je ne suis pas certain de m'en sortir.

Les craintes que je ressens maintenant dans mon cœur sont également très agréables. J'avais oublié à quel point l'existence est imprévisible. Dehors, des

*obstacles m'attendent mais je suis heureux, parce que
dans le fond c'est de cela qu'est faite la vie de tout
être humain.*

*Quant à nous deux, je continuerai de penser à toi
avec une affection paternelle. Je sais que tu me cher-
cheras, il est donc probable que nous nous reverrons.
Laissons le destin décider.*

*En attendant, je te souhaite de retrouver la mémoire
de ce qui t'est arrivé la nuit dernière.*

Bien à toi,

Cornelius Van Buren

Marcus referma l'incunable et s'assit sur le lit. Il était
exténué par sa défaite. Il n'aurait jamais pu raconter
cette vérité à Sandra, non sans révéler le secret que le
Vatican gardait un monstre prisonnier depuis vingt-trois
ans.

Il était sorti de chez Matilde Frai sans une explication, parce qu'il espérait arriver à temps pour arrêter
Cornelius. Mais le tueur en série l'avait pris de vitesse.

Deux passages de sa lettre l'avaient frappé. Le premier était le souhait final de retrouver la mémoire. *Parce
que je m'occupais de cette histoire ?* se demanda pour la
énième fois le pénitencier, se maudissant encore.

« Leur plus grande peur est de mourir privés de leur
pouvoir », se répéta-t-il. Cette phrase l'avait également
laissé perplexe.

Puis, enfin, il eut une intuition. Le mot inscrit par
Crespi au seuil de sa mort.

Un *chantage*. Soudain, tout fut clair.

23

57 minutes avant l'aube

Il le surprit devant sa cheminée en travertin rose. Exactement au même endroit que la dernière fois qu'ils s'étaient vus, presque vingt-quatre heures plus tôt.

À la différence que cette fois le cardinal ne l'avait pas entendu entrer dans son appartement donnant sur les Forums impériaux. Quand il s'aperçut de sa présence, il blêmit. Comme un vivant qui vient de voir un mort. Marcus ne pouvait pas savoir à quel point ce parallèle était vrai. Erriaga connaissait le contenu du calepin – la confession d'un moribond.

— C'est vous qui m'avez chargé d'enquêter, dit-il. Vous m'avez confié l'affaire de la disparition de Tobia Frai, mais malheureusement je l'ai oubliée.

— Cela ne vaut-il pas mieux pour tout le monde ? répondit calmement le haut prélat.

— Quand cela a-t-il eu lieu ? demanda le pénitencier.

— Il y a quelques semaines.

L'idée d'avoir perdu la mémoire de tant de jours bouleversa Marcus.

— Pourquoi ? En quoi un enfant disparu neuf ans plus tôt pouvait-il vous intéresser ?

— Hier, je suis venu te chercher dans ta mansarde de la via dei Serpenti, soupira Erriaga. En attendant que tu rentres, j'ai trouvé une photo en noir et blanc sous ton oreiller… Elle ne sait pas que tu la photographies, cela se voit à son regard. Mais tant de vérités émergent de ce cliché. Ne pouvant la toucher comme un homme, tu te contentes de voir la lumière la caresser puis te revenir, l'imprimant sur la pellicule. Je suis convaincu que tu ne penses pas à ton sentiment comme un péché, quelque chose dont se confesser et qui requiert le pardon de Dieu.

— Plus maintenant, admit le pénitencier.

— Alors tu peux me comprendre.

Marcus s'aperçut qu'Erriaga tenait un calepin dans sa main.

— Qui pouvait imaginer que cette jeune novice ait été envoyée par un assassin retors pour me séduire ? poursuivit le cardinal.

— Vous êtes le père.

Marcus le savait, mais il avait besoin de le dire, dans cette pièce.

— Pendant neuf ans, Van Buren vous a fait chanter en utilisant l'enfant.

— En même temps, il préparait sa fuite, répondit Erriaga, qui était au courant du carnage au couvent. Il m'a distrait, il a été habile et aussi très malin.

— Il savait que vous ne céderiez pas, il vous connaissait bien.

— Apparemment.

Il sourit, mais cela ne dura pas.

— Qu'y a-t-il dans ce carnet, cardinal ? demanda Marcus sur un ton péremptoire.

— Ta mémoire.

— J'ai le droit de savoir.

— Tu as écrit ton péché et tu l'as laissé sur l'agenouilloir d'un confessionnal. Ce qui est reporté dans ces pages a été jugé par le Tribunal des âmes.

— Quelle est ma faute ? Dites-le-moi.

Erriaga lui offrit un regard plein de compassion.

— Crois-moi, cela ne te plairait pas.

Marcus sentit les larmes monter. C'était de la rage, mais aussi de la fatigue et de la frustration.

— Dites-moi au moins si j'ai pu sauver la vie de cet enfant.

Erriaga acquiesça.

Le pénitencier éclata en sanglots.

— Si je tombe, le Tribunal des âmes tombe avec moi, affirma soudain le cardinal. L'Avocat du diable ne peut avoir aucune tache dans son passé.

Marcus leva les yeux vers lui.

— Qu'essayez-vous de me dire ?

— Que nous sommes tous deux pécheurs, que nous mériterions d'être condamnés. Mais que nous sommes également indispensables pour l'Église. Que se passerait-il si, à cause de notre fragilité d'êtres humains, nous étions contraints de renoncer à nos fonctions ? Que se passerait-il si nous cessions de veiller contre le mal ? Nous avons une mission à accomplir, nous ne pouvons pas nous permettre de demander pardon.

Marcus comprit enfin. Il en eut la nausée.

— « Leur plus grande peur est de mourir privés de leur pouvoir », répéta-t-il en citant Van Buren.

Mais le cardinal n'avait pas terminé.

— Tu as emmené l'enfant dans un endroit sûr, puis tu l'as laissé seul avec la promesse que quelqu'un viendrait bientôt le chercher.

— Pourquoi aurais-je fait ça ?

— Parce que tu savais que tu devais mourir.

— Et je l'ai écrit dans le calepin, c'est ça ? J'y révèle où est caché Tobia Frai ? En le laissant dans le confessionnal, j'étais certain que cette information remonterait jusqu'à vous… son père.

— Tu m'as donné la possibilité de sauver mon fils unique, confirma Erriaga. Et je t'en remercie. Cela a été noble de ta part.

Marcus le vit s'approcher à nouveau de la cheminée en travertin rose et fixer la flamme.

— Vous n'allez pas le faire, n'est-ce pas ? Vous n'allez pas sauver le sang de votre sang…

— Certaines fautes doivent rester secrètes, dit le cardinal en regardant le calepin. Certains péchés ne doivent pas être pardonnés.

Et il le jeta dans le feu.

L'AUBE

Le soleil s'était levé, mais il restait vingt-cinq minutes avant la fin du black-out programmé.

Vitali se tenait au milieu de la salle d'opérations de la fourmilière, un gobelet en carton dans la main. Il buvait de l'eau fraîche.

Tant de choses s'étaient passées dans les quatre dernières heures. L'armée était entrée dans la ville et avait pris possession du centre historique. Le génie militaire s'occupait de sauver des vies humaines de la crue de boue déversée par le Tibre. Un groupe de policiers avait fait une descente au parc d'attractions de l'Eur, arrêtant une cinquantaine de personnes. Dans les rues, les tuteurs de la loi avaient commencé la chasse à l'homme. Il y avait eu des centaines d'interpellations et d'arrestations, mais la bonification – comme l'avait définie le préfet De Giorgi – n'était pas encore terminée.

On avait du mal à compter les morts. Le bilan était lourd. Cela aurait pu être pire, se dit l'inspecteur. De nombreux civils, des forces de l'ordre. Tant d'innocents, trop d'enfants.

Deux causes.

Le black-out et la violence du mauvais temps avaient créé des conditions uniques, jamais vues. S'il n'y avait eu que l'un de ces deux éléments, l'état d'urgence n'aurait probablement pas causé autant de dégâts et de pertes.

Et puis, il fallait prendre en compte un autre aspect. L'hystérie collective qui avait saisi la population, les bons citoyens comme les mauvais. Les gens, soudain privés d'un bien aussi essentiel que l'électricité, s'étaient sentis perdus, abandonnés à l'obscurité. Beaucoup avaient eu une réaction irrationnelle.

L'obscurité change la perception de la réalité, se dit Vitali. *Comme quand on est enfants. Le jour, notre chambre est un lieu de jeu, d'insouciance. La nuit, elle devient le royaume des ombres qu'on fuit en se cachant sous les couvertures.*

Comme il l'avait prévu, la plupart des victimes n'avaient pas trouvé la mort dans la rue mais dans les habitations. Vieilles querelles entre connaissances, rancœurs ravalées pendant des années dans les familles et autres formes de haine domestique : dans le noir, tout cela avait pris le dessus et s'était transformé en motifs de vengeance sanglante. Bien que la coupure de courant ait été annoncée à l'avance, il y avait également eu des morts par infarctus dans les ascenseurs. Vitali secoua la tête en y pensant. Il n'aimait pas les gens. *Dans quelques minutes, vous retrouverez Internet, maudits idiots. Vous pourrez recommencer à vous plaindre de tout – et surtout de votre existence de losers inutiles – sur un putain de réseau social.* Lui aussi était en colère, mais uniquement parce que cette nuit, il avait perdu ses magnifiques mocassins marron.

Dans quelques minutes, tout reviendrait à la normale. Du moins jusqu'au prochain black-out ou à la prochaine pluie torrentielle. Vitali savait que les gens oublieraient vite. Personne ne tirerait aucun enseignement de cette nuit. Sauf les morts, bien sûr. Il glissa sa main dans sa poche et en sortit la feuille où un expert en portraits robots, suivant sa description, avait tracé la physionomie d'un visage.

— Marcus, dit Vitali sans que personne l'entende.

Puis il but sa dernière gorgée d'eau et roula le gobelet en boule. Enfin, pour ne pas contribuer encore plus au chaos de l'univers, il le jeta dans la poubelle de recyclage du papier.

Il lui avait dit d'aller l'attendre via dei Serpenti. Il la trouva assise sur le palier, le dos contre la porte.

— Mon appartement à Trastevere a été détruit par la crue, dit Sandra. Je n'ai plus d'endroit où aller.

Il la prit par la main et l'aida à se relever. Puis ils entrèrent dans son petit refuge.

La valise ouverte, abandonnée sur le sol. La chaise. La paillasse jetée dans un coin, avec les couvertures en désordre. Il ne lui laissa pas le temps de parler. Il l'attira à lui et il l'embrassa. C'était la deuxième fois.

— J'ai échoué, dit Marcus.

— Ça ne fait rien, dit Sandra.

Elle commença à le déshabiller.

Il l'imita. Il l'avait déjà vue nue, toutes les fois où il l'avait suivie à l'hôtel où, allongée dans le noir, elle s'abandonnait à des hommes et à des femmes inconnus. Mais il ressentit un frisson étrange en caressant sa peau. Ils s'allongèrent sur le matelas, sans cesser de se chercher des lèvres. Seules leurs respirations avides brisaient le silence. Marcus lui posa une main sur la jambe et ouvrit lentement le chemin. Quand il la pénétra, elle n'était pas encore prête, elle gémit, mais elle suivit tout de suite ses mouvements. Il serra ses petits seins et les embrassa à l'infini, pour rassasier son désir. Elle s'écarta de lui et, soudain, descendit le long de son thorax – une interminable traînée de baisers. Puis elle posa sa bouche sur sa chair pour lui prouver combien elle lui appartenait. Il s'abandonna et ferma les yeux, perdu dans l'oubli de ses propres sens. Quand Sandra s'aperçut que sa résistance s'épuisait, elle se mit sur lui, accueillit son sperme dans son ventre. Elle s'abandonna, cherchant refuge dans les plis de son cou. Ils haletaient et ils étaient heureux. Ils ne se regardaient pas dans les yeux, mais ils savaient qu'ils s'appartenaient.

Ils s'endormirent.

Sandra se réveilla la première. Elle ne savait pas combien de temps avait passé, mais elle constata qu'il faisait à nouveau noir. Elle se leva en veillant à ne pas le déranger. Elle regarda par la fenêtre. La mansarde donnait sur les toits de Rome, la ville était à nouveau éclairée.

Elle pensa à David. Si sa mort prématurée n'avait pas fait d'elle une jeune veuve, elle ne se serait pas retrouvée là. Elle n'aurait jamais expérimenté cette nouvelle sérénité du cœur. C'était vrai : la vie avait besoin de destruction pour avancer. Que se serait-il passé si son mari avait été encore vivant? Ils auraient peut-être découvert une incompatibilité dont ils n'avaient jamais soupçonné l'existence, ou bien des divergences les auraient conduits au divorce. Ou pire, ils seraient restés ensemble tout en sachant que l'amour était fini depuis longtemps.

L'existence est une chaîne d'événements, se dit Sandra, *et si on n'apprend pas à accepter ceux qui sont douloureux, on n'obtient aucun bonheur en récompense.* En témoignait le fait que David était mort et qu'elle ne souffrait plus de sa disparition.

Voilà pourquoi maintenant, les lumières de Rome semblaient s'être allumées juste pour elle.

Devant la fenêtre, Sandra se rendit compte qu'elle avait froid. Elle alla ramasser son haut de survêtement. Elle l'enroula sur ses bras pour l'enfiler. À ce moment-là, Marcus se retourna dans le lit, lui montrant son dos.

La policière s'arrêta net.

Le pénitencier ouvrit les yeux, tourna la tête et la vit.

— Salut, dit-il en souriant.

Mais elle se tut, et ne lui rendit pas son sourire.

Marcus comprit que quelque chose n'allait pas.

— Que se passe-t-il?

Sandra tendit la main. Elle tremblait.

Marcus ne comprenait pas, mais s'empressa de regarder ce qui, sur son épaule droite, lui faisait si peur. Il vit un tatouage. Le cercle bleu. C'est à ce moment-là qu'il comprit tout, même sans se souvenir. La vérité le glaça.

Matilde Frai n'avait rien à voir avec les homicides et la torture. C'était lui.

L'Évêque, Gorda. Le Fabricant de jouets. La main gantée qui faisait avaler, d'abord l'hostie noire, puis la soude caustique, au dealer sur la vidéo. Le piège de cendres de l'appartement témoin préparé exprès pour Crespi. L'Alchimiste pendu au plafond, portant ses chaussures.

Chaque indice conduisait à moi – uniquement à moi.

Erriaga avait dit qu'il lui avait confié, quelques semaines plus tôt, une affaire de disparition de mineur remontant à neuf ans auparavant. Il ne lui avait fourni aucune explication, juste un nom : Tobia Frai. Peut-être que le cardinal était fatigué du chantage de Van Buren. Le pénitencier avait fini par le trouver et le cacher dans un endroit sûr. Mais, pour obtenir ce résultat, il avait dû tuer des gens. Il ne manquait qu'un nom sur sa liste : celui du Maître des ombres.

C'est moi qui ai mis les photos de Sandra dans la mémoire du téléphone avant de l'abandonner dans le taxi. J'ai voulu qu'elle soit impliquée, qu'elle découvre ce que j'avais fait.

Après avoir enlevé Tobia chez l'Alchimiste, il avait tout noté dans le calepin avant de le laisser dans un confessionnal, sachant qu'il serait apporté à Erriaga. Puis il était allé chez le Fabricant de jouets : de là, il avait appelé Matilde Frai, lui faisant écouter la voix de la poupée aux traits de son fils. Il devait orienter sa réaction pour qu'elle conduise Sandra jusqu'au Maître. Là, sa mission s'achevait : il pouvait se rendre à l'endroit où il avait décidé de mourir. La prison du Tullianum.

D'abord j'ai plié mes vêtements et j'ai posé dessus les chaussures en toile blanche, parce que je voulais

qu'on comprenne que j'étais descendu volontaire-
ment, nu et menotté. J'ai mis la clé des menottes
là où je pensais ne jamais la récupérer : dans mon
estomac. J'ai fait tout cela pour me punir de la mort
féroce que j'avais infligée, de la douleur que j'avais
causée.

Trouve Tobia Frai.

Ce message n'était pas pour moi mais pour Sandra.
Quand ils retrouveront mon corps, tu te demanderas
pourquoi je l'ai fait. Mais quand tu trouveras l'enfant,
tu comprendras. Il est la raison pour laquelle je suis
mort ici.

Les autres feuilles arrachées au carnet étaient également pour elles – son nom dans la baignoire du Fabricant
de jouets, les numéros des archives des crimes irrésolus.
Pour qu'elle puisse suivre la piste du sang qu'il avait
versé.

Sandra le regarda sans pouvoir retenir ses larmes.

— Pourquoi ?

Marcus baissa les yeux.

— Parce que la seule façon de sauver cet enfant était
de devenir l'un d'eux.

Il le comprenait, maintenant. Tobia Frai était probablement déjà mort là où il l'avait laissé pour le protéger, et lui avait vendu son âme au Seigneur des ombres
inutilement.

— Le captagon, dit-il.

Avant de descendre dans le puits de la prison, il avait
goûté l'hostie noire. Voilà pourquoi il ne se souvenait
de rien. La substance hallucinogène avait réveillé son
amnésie, même si cette fois il se rappelait au moins qui
il était.

Erriaga avait raison. Le péché qu'il avait confessé dans le calepin avant d'aller mourir dans le Tullianum était trop grand et trop grave. Il aurait mieux valu ne pas comprendre la vérité, ne pas savoir. Oublier.

Anomalies.

— Que devons-nous faire, maintenant? demanda Sandra, attendant qu'il dise quelque chose pour chasser ce cauchemar. Qu'adviendra-t-il de nous?

— Il y a un lieu où le monde de la lumière rencontre celui des ténèbres, répondit Marcus, répétant ce qu'on lui avait enseigné. C'est là qu'advient chaque chose : dans la terre des ombres, là où tout est rare, confus, incertain. Je suis le gardien de cette frontière. Parce que, parfois, quelque chose réussit à la franchir... Je suis un chasseur des ténèbres. Mon devoir est de les repousser.

33 jours après l'aube

Un pâle soleil de printemps séchait les rues de leur humidité.

Le centre de Rome était un chantier. Des ruines modernes s'étaient ajoutées aux anciennes, mais la reconstruction avait commencé.

La circulation n'avait pas été rétablie : seuls les véhicules autorisés pouvaient circuler. Dont une Audi noire immatriculée au Vatican. Tandis que le chauffeur remontait la via dei Fori Imperiali, par les vitres teintées de la luxueuse berline, le cardinal Erriaga admirait la transfiguration de Rome.

La catastrophe avait modifié le panorama à jamais, mais comportait aussi des aspects positifs. Par exemple, on avait enregistré une nette augmentation des conversions. Beaucoup de gens, après le désespoir, avaient embrassé la foi catholique. En témoignait l'augmentation des dons d'argent à des œuvres de bienfaisance. Erriaga ne pensait pas mériter le paradis, aussi pour se consoler de la tragédie il s'était offert un nouveau crucifix en diamants et améthystes, qui se mariait à merveille avec la couleur pourpre de sa tunique en soie.

— Voulez-vous que je monte la climatisation, éminence ? demanda le chauffeur.

— C'est très bien comme ça, merci, répondit le cardinal en profitant de la chaleur d'un rayon de soleil.

Peu après, ils quittèrent la ville et empruntèrent des routes de campagne. La nature avait été la seule à tirer avantage de la pluie intense du mois précédent. Elle explosait maintenant de couleurs et de parfums.

Erriaga se sentit serein, alors qu'il aurait dû être inquiet. Le monde était un endroit moins sûr depuis que Cornelius Van Buren s'était échappé. Il se demanda combien de personnes avaient payé de leur vie le simple fait d'avoir croisé son chemin. Le pénitencier aurait dû s'en occuper, mais le cardinal n'avait plus de nouvelles de lui depuis le jour du black-out. Depuis que, devant son regard impuissant, il avait jeté dans les flammes le calepin contenant sa confession.

— Nous sommes arrivés, éminence, annonça le chauffeur.

Erriaga regarda la maison en haut de la colline.

L'Audi noire s'arrêta devant. Le chauffeur lui ouvrit la portière et le prélat posa ses chaussures anglaises cousues main sur le gravier poussiéreux. Deux sœurs vinrent à sa rencontre.

— Bienvenue, éminence, dirent-elles en chœur.

Le cardinal bénit leurs têtes baissées d'un geste hâtif.

— Vous vous êtes occupées de tout?

— Oui, éminence. Comme vous l'avez demandé.

— Bien, se félicita-t-il. Accompagnez-moi.

Les deux sœurs l'escortèrent à l'intérieur de la maison. Cela sentait le réfectoire et la soupe. Erriaga remarqua que ces odeurs ne disparaissent jamais de certains endroits. Ils montèrent au premier étage. Au bout d'un petit couloir, les religieuses l'introduisirent dans une pièce vide.

— Celle-ci a la plus belle vue, éminence, lui assura l'une d'elles.

Erriaga alla tout de suite ouvrir la fenêtre pour vérifier. En effet, la pièce dominait la vallée, avec ses vignes et ses pâturages. Mais ce n'était pas cette vue qui intéressait le cardinal.

En dessous de lui, deux équipes de garçons s'affrontaient au football sur un terrain en terre battue.

— Comment vont les orphelins? demanda-t-il. Obéissants? Ils travaillent bien à l'école? Ils mangent suffisamment?

— Oui, confirma la sœur, ils vont bien.

Erriaga acquiesça, satisfait.

— J'en suis ravi.

Ne pouvant demander d'informations sur le seul d'entre eux qui l'intéressait, il se contenta de cette réponse. En réalité, il ne savait même pas quelle tête il avait, ou s'il ressemblait encore à la photo publiée dans les journaux neuf ans plus tôt.

— L'homme à la cicatrice sur la tête n'est pas revenu ?

— Non, éminence. Pas depuis la fameuse nuit.

Erriaga referma la fenêtre. Il en avait vu assez.

— Je reviendrai, promit-il en s'éloignant.

NOTE DE L'AUTEUR

Un proverbe employé dans le monde entier mais dont on ignore l'origine dit que « Rome ne s'est pas faite en un jour ».

Toutefois, j'ai découvert qu'il en faut moins que cela pour la détruire.

J'ai toujours su que Rome avait connu plusieurs dévastations. La plus fameuse reste l'incendie attribué à la volonté de l'empereur Néron, mais c'est un mensonge historique. Le plus souvent, le responsable a été le Tibre.

Pourtant, l'idée de cette histoire m'est venue le 19 février 2015 quand, à l'occasion du match de football Roma-Feyenoord, les hooligans hollandais (maudits soient-ils) ont dévasté la piazza di Spagna en quelques minutes, endommageant irrémédiablement la fontaine.

Le lendemain, encore furieux et indigné, je suis allé m'asseoir dans le bureau de mon ami le professeur Massimo Parisi et je lui ai demandé, naïvement, comment je pourrais détruire la Ville éternelle en moins de vingt-quatre heures. Sans se décomposer, il m'a répondu :

— C'est simple, tu fais pleuvoir sans cesse pendant deux jours et tu fais couper une centrale électrique : en quelques heures, ce sera le chaos.

Puis il a passé tout l'après-midi à m'expliquer les conséquences catastrophiques d'une combinaison aussi banale d'événements sur la vie des Romains.

Pourtant, il m'a fallu encore un an de recherches pour approfondir la faisabilité de la catastrophe, ainsi que ses effets à court terme. J'ai dû consulter divers experts – certains faisant réellement autorité en la matière – pour atteindre le résultat final. Géologues, archéologues, ingénieurs, urbanistes et météorologues se sont amusés à me fournir leur propre version de l'apocalypse. J'ai dû apprendre beaucoup de choses que je ne connaissais pas (et que je n'aurais jamais pensé devoir apprendre !).

Mais à la fin, j'étais en mesure de détruire Rome.

Je dois admettre que, en écrivant cette histoire, je me suis senti comme le méchant héros d'un roman graphique. Toutefois je dois le détail du captagon, ainsi que mon plan personnel pour anéantir la ville, à Marta Serafini et à un article éclairant paru dans le *Corriere della sera*.

En outre, j'ai une dette envers les forces de police italiennes qui, au fil des ans, m'ont toujours accordé des entretiens et du soutien. Dans ce cas précis, en plus de m'expliquer les plans de sécurité prévus en cas de calamité, elles ont eu la patience de répondre à toutes mes questions les plus absurdes.

Comme je voulais que les pages donnent un sentiment d'égarement et de claustrophobie, j'ai accepté la proposition de Francesco Orfino de me guider dans le sous-sol de Rome. La villa patricienne visitée par Marcus et Sandra existe réellement et le regard heureux des deux maîtres de maison est toujours protégé par l'obscurité.

Comme d'habitude, je ne peux oublier l'apport de mon ami le père Jonathan, qui a inspiré la saga des pénitenciers.

Mais mon remerciement le plus cher va à la Pénitencerie apostolique – le véritable Tribunal des âmes – et à toutes

les personnes qui travaillent depuis des siècles à la préser-
vation des précieuses archives des péchés. Les rencontrer
et être admis dans ce bâtiment a été un privilège que je
ne pourrai jamais oublier.

REMERCIEMENTS

Stefano Mauri, éditeur – ami. Et, avec lui, tous les éditeurs qui me publient dans le monde.

Fabrizio Cocco, Giuseppe Strazzeri, Raffaella Roncato, Elena Pavanetto, Giuseppe Somenzi, Graziella Cerutti, Alessia Ugolotti et la douce Cristina Foschini. Merci pour votre passion.

Andrew Nurnberg, Sarah Nundy, Barbara Barbieri, Giulia Bernabè et les extraordinaires collaboratrices de l'agence de Londres.

Tiffany Gassouk, Anaïs Bouteille-Bokobza, Ailah Ahmed.

Ce livre a également été écrit grâce à la contribution, parfois involontaire, de ma grande famille, de mes amis de toujours et des plus récents. J'ajouterai aussi ce que j'appelle les « éternités présentes », ces êtres humains qui changent notre existence juste en étant près de nous.

Les noms sont superflus, ils savent très bien à quel point je les aime.

Le Livre de Poche s'engage pour
l'environnement en réduisant
l'empreinte carbone de ses livres.
Celle de cet exemplaire est de :
300 g éq. CO_2
Rendez-vous sur
www.livredepoche-durable.fr

PAPIER À BASE DE
FIBRES CERTIFIÉES

Composition réalisée par Belle Page

Imprimé en France par CPI
en août 2018
N° d'impression : 3030291
Dépôt légal 1re publication : octobre 2018
LIBRAIRIE GÉNÉRALE FRANÇAISE
21, rue du Montparnasse - 75298 Paris Cedex 06